JN123060

新・戦争論

「世界内戦」の時代

kasai kiyoshi

笠井潔

聞き手……佐藤幹夫

言視舎

まえがき

佐藤幹夫

本書のインタビューイである笠井潔さんとは、かねてより私が編集・発行する雑誌、『飢餓陣営』を通じて知己を得ていました。ところ迂闊な私は、代表作『例外社会』を本棚の隅に寝かせたまま、しばらく時を過ごしていました。書物が発するオーラに圧倒されていたのかもしれませんが、初めて、これではいかんと気合を入れ直すきっかけになったのは、二〇一九年九月一四日、加藤典洋さんを追悼する学習会の席でした。

そこで笠井さんは、「加藤典洋の「戦後論」と世界戦争の歴史」と題された三〇分ほどのコメントを発表したのです。私は「戦争から見た世界史＝笠井戦争論」の一端に触れ、そのスケールの大きさに圧倒されました。そして何よりも、笠井さんの膨大な仕事のなかでも、「戦争」がひときわ重要なテーマとなっていることを痛感しました。

このとき、もうひと方の発言者が哲学者の竹田青嗣さんでしたが、竹田さんの『欲望論』も「哲学と戦争」というテーマから始まっています。やはり迂闊な私は、団塊の世代の主導的な書き手の方々が、いかにそれぞれの主題のなかで「戦争」を重要な課題としてきたか、初めて理解したのです。

「戦争とは何か」「戦争はなぜ、どのようにして引き起こされるのか」。こうした問いを笠井さんにぶつけるようにして、第一回目のインタビューが行なわれたのが、二〇二〇年九月二二日。それが本書の「第一章「世界戦争「から「世界内戦」の時代へ」と、「第二章戦後社会の欺瞞と没落する「中流」」です。

笠井さんの戦争論に触れるまで、戦争は要するに戦争であり（おかしな言い方をしていますが）、大量の兵と武器を投じてなされる「国と国との衝突」というイメージしかありませんでした。もちろんその内実は殺し合いであり、武器や兵器の発達によってより多くの命が失われていく、その程度のことは理解していました。しかし、世界史の中で「国」のあり方が変化していくことによって戦争のあり方も変わっていく、とくに近代国家成立以降から始まる世界戦争は、大きな変容を遂げていく。それはなぜか。カール・シュミットの「例外状態」という語を借りながら、世界戦争のあり方が捉え返されて行くのですが、私のなかで「戦争」が、まったく別の光景に編み変えられていきました。第一回目のインタビューは、そのような驚きの体験だったことは今も記憶に鮮明です（すぐに気づかれると思いますが、「国家の例外化」と「社会の例外化」、この二つの概念がそこでの肝になっています）。

　そして二回目。ロシア‐ウクライナ戦争が始まって間もなく、私の中には多くの疑問や感想が浮かんでいました。なぜ二一世紀のこの現代において、これまで作り上げてきたはずの秩序をぶち壊すような戦争が始まったのか。すぐに、これはもう笠井さんにインタビューをお願いするしかない、と決めました。

「世界戦争から世界内戦へ」。笠井戦争論の核心命題です。ロシア‐ウクライナ戦争の性格がどのようなもので、なぜ、いまこの時代に引き起こされなくてはならなかったか。この命題をもとにして縦横に光を与えられていきます。そして途中で私が感じたことは、笠井さんは現代の戦争を語りながら、じつは次のステージにその関心を向けようとしている。現代の戦争を語ることは、私たちがどのような未来を生きることを望むのか、そのことを語ることでもある。それが、二回目のインタビューで笠井さんより伝えられた最大のメッセージでした。具体的にどのようなものか、あるいは私の印象が妥当かどうか、ぜひ一人一人の読者の皆さんに読み取っていただければと願っています。

新・戦争論「世界内戦争」の時代　目次

第2章 戦後社会の欺瞞と没落する「中流」 73

第3章 「世界内戦」としてのロシア－ウクライナ戦争 127

第1章

「世界戦争」から「世界内戦」の時代へ

——第1章は笠井さんの『例外社会』を拝読しての質問に、第2章は、例外状態そのものであるコロナパンデミックと格差社会、やまゆり園・植松事件などに触れていただくような組み立てになっています。第1章ですが、まず、以下のように質問を立ててみました。

1．二一世紀社会を「例外社会」として着眼されたことについて。カール・シュミットを手掛りとして、二〇世紀を「例外国家」の時代とし、二一世紀を「例外社会」へ移行したと捉えておられますが、これらの原理的な把握によって、二一世紀社会のどんな特質が際立って表現されることになる、と考えておられるか。

2．「戦争」の変化と総力戦体制について。「国民戦争」の時代から第一次大戦で始まる「世界戦争」へ、そして9・11テロ以後の「世界内戦」の時代へ。この歴史的変容の押さえは笠井戦争論の肝だと思われますが、その概略を述べていただけますか。

とくに9・11以降の「世界内戦」について具体的にお訊きしたいと思います。米中対立の激化、冷戦時代の覇権国家争い（勝ち残りゲーム）から、何がどう変わったかなどについて。

こちらの質問は以上ですが、順番は笠井さんのほうで取りまとめながらお話しいただいて結構です。よろしくお願いします。

▼「例外状態」と「世界戦争」をどこから考え始めたか

笠井潔 「例外状態」や「世界戦争」について考え始めた最初のきっかけから話していきましょう。

一九八九年に、東欧の社会主義国家の連続的崩壊という歴史的な大事件が起きました。われわれが物心ついたときから続いていた米ソ冷戦構造が一気に崩れていき、これから世界はどうなっていくのかが重要な問題になってきた。さらに、それに続いて九〇年の末から九一年にかけて湾岸危機、湾岸戦争が起こる。二〇世紀後半のアメリカの戦争、アメリカ軍が主役として戦った戦争でも、朝鮮戦争では、国連安保理決議で通常は国連軍と呼ばれている多国籍軍が編成された。しかし次のヴェトナム戦争で、対立する米ソがともに拒否権を持っているために、国連安保理は機能しませんでした。ところがイラクのクウェート侵攻の際は、ヴェトナム戦争のときとは違って、ふたたび国連決議による多国籍軍を編成して湾岸戦争を戦うことになります。こうした違いにはどんな意味があるのかという問いが、一九世紀の国民戦争、二〇世紀の世界戦争、そして二一世紀の世界内戦について考え始めた最初のきっかけでした。

その当時、湾岸戦争について思うところを書いた文章は『黙示録的情熱と死』の第Ⅱ部に収録しましたが、そこでは新たな観点から二〇世紀の世界戦争や、その産物だった国際連合や集団安全保障の意味するところについて考えようとしています。湾岸戦争への「文学者の反戦署名」に対する批判を共有した加藤典洋も、同じ時期からあらためて二〇世紀戦争について思考しはじめますが、一〇年後、二〇年後の二人の結論はほとんど対極的でした。この点は、あとからまた触れることになるでしょう。

冷戦の終結に続いた湾岸戦争の現実は、すでに二〇世紀は実質的に終わり、歴史は二一世紀に入っているのではないかという時代感覚を生じさせました。その画期は、いうまでもなく一九八九年の社会主義の歴史的崩壊です。二〇世紀が一九八九年で終わったとすれば、始まったのはいつなのか。この点にかんしては、多くの論者の間ですでに合意が存在していました。二〇世紀の起点は第一次大戦にある。一九世紀の終わり頃から一九一四年に第一次大戦がはじまるまでの、ヨーロッパが平和と繁栄を謳歌した一時代を「ベル・エポック」といいます。年表上では一九〇一年以降が二〇世紀ですが、「ベル・エポック」という時代意識からもわかるように、第一次大戦までの一四年間は、基本的には一九世紀と地続きの時代でした。第一次大戦がはじまって、ヨーロッパも、ヨーロッパに植民地化され支配されていた諸地域もまったく新しい時代に入っていく。二〇世紀の時代精神はニヒリズムですが、この点からしても、第一次大戦を歴史の断層として一九世紀と二〇世紀は分かたれます。一九世紀末からドストエフスキイやニーチェなどの文学者、哲学者はニヒリズムの時代の到来を予感していましたが、それが一挙に大衆化したのは、第一次大戦の破壊的ともいえる精神史的体験からでした。塹壕を埋めた七〇〇万というボロ屑のような屍体の山が、神に代わって至高の座に着いた一九世紀的人間を、匿名の無意味な存在に引き下ろしたからです。

その二〇世紀が「社会主義の崩壊」と冷戦の終焉で終わった。レーニンの言葉を待つまでもなく、「二〇世紀は帝国主義世界戦争」の時代でした。しかしレーニン帝国主義論が通用するように見えたのは二〇世紀前半までのことで、後半は米ソ冷戦の時代になる。二〇世紀前半の第一次大戦と第二次大戦、後半の冷戦はいずれも「世界戦争」ですが、二〇世紀の世界戦争の前には一九世紀の国民戦争が存在したのではないか。二一世紀の新たな戦争として湾岸戦争の意味を問おうとして、一九九〇年代にカール・シュミットの著作を読んでいくうちに、そのように考えはじめました。ヴェストファーレン体制*として主権国家の国際体制が確立された、一七世紀から一九世紀までのヨーロッパの戦争は、主権国家同士の戦争でした。同等の権利を持つ主権国家と主権国家のあいだで生じた利害対立が、外交交渉その他の平和的手段で解決されえないとき、いったいどうすればいいのか。そこで考案されたのが、国家間の取り決めである国際法、カール・シュミットによればヨーロッパ公法による合法的な戦争による紛争の解決です。

▼一九世紀までの秩序ある「国民戦争」

笠井　これは独創的な解決法でした。国家と国家が併存していると戦争が絶えない。この戦争はホッブズの言葉で言えば「万人にとって万人が狼である」自然状態です。最終的には競合諸国を残らず打ち倒した最強国が帝国として君臨するまで、たがいに攻防する戦争状態は終わることがない。こうした歴史が農耕文明の定着以降、西アジアでも中国でもインドでも繰り返されてきたのですが、しかしヨーロッパでは西ローマ帝国が解体したのち、独自の歴史が展開されていきます。旧帝国の諸国家への分裂、戦争状態の到来、新帝国の成立というユーラシア大陸のあちこちで繰り返された過程を再現することなく、封建制という固有のシステムが形成される。東ローマ帝国の支配領域が、そっくりオスマン帝国という新帝国に引き継がれていったのとは対照的です。

封建的諸権力の複雑な絡み合いが複数の主権国家に整理されていく三〇年戦争の時期を経て、ヨーロッパ公法秩序が形成されていきます。放置すれば国家と国家は、ホッブズ的な自然状態＝戦争状態に陥ってしまう。しかしヨーロッパ諸国は、国際法で戦争を合法化するという発想によって「秩序ある戦争」、シュミットの言葉では「保護・限定された戦争」という概念を発明しました。「言葉は尽きた、あとは剣で決着を付けるしかない」という極限的な対立関係が生じても、共倒れを招きかねない無制限の暴力行使は禁じる。ようするにルールに制約された戦争によって、非和解的な対立を解決していく。このルールが一八九九年のハーグ陸戦条約で集大成される戦時国際法で、交戦者の定義や宣戦布告から和平までの過程について、もろもろの規定があります。戦争は軍隊同士で戦われ、文民＝シヴィリアンである民間人を巻き込んではならないとか、そのため兵士は民間人と区別できるように規定の服装（軍服）を着なければならないとか、降伏した兵士はもはや戦闘員ではないから保護しなければならないとか。あるいは、違法な兵器や戦術の規定まで。

一七世紀以降のヨーロッパは、無制約な暴力行使としての前近代的な戦争を近代化し、国家間の致命的な利害対立によって生じる不均衡を再均衡化し、安定を回復するための新たなタイプの戦争を発明しました。これによってヨーロッパは帝国の形成を阻止すると同時に、域内での大規模で全面的な暴力行使に歯止めをかけることに成功します。もう一点、三〇年戦争が最後の宗教戦争だったことにも注意しなければなりません。カトリックとプロテスタントの宗教戦争が未曽有の戦禍と荒廃をヨーロッパにもたらしたのは、それが世俗利害を巡る相対的な対立ではなく、神の正義を争奪する絶対的な対立から生じた戦争だからです。宗教戦争の敵は、存在することさえ許されない邪悪な犯罪者だから、殲滅するしかない。これに対し主権国家間の利害対立を決済するために行なわれる「秩序ある戦争」では、敵は味方と相互的な存在、つまり「邪悪な敵」ではなく「正しい敵」です。また宗教戦争が正義の戦争、「正戦」であるのに対し、国際法に「保護・限定された戦争」は「無差別戦争」として了解されました。戦争において味方は正義、敵は悪という差別は存在しえない。「正しい敵」として相互に了解しあう対戦国は、倫理的に対等であるという戦争観です。

ただし戦争の暴力が国際法的に「保護・限定された」のは、ヨーロッパ域内でのことにすぎません。ヨーロッパの植民地主義と世界支配は、技術的、産業的、経済的な理由から説明されることが多いのですが、域内の暴力を「秩序ある戦争」に封じ込めることで、域外に無制限に排出するシステムを確出したことが決定的です。いうまでもありませんが、ヨーロッパが域外のアメリカ、アフリカ、アジアの諸地域で行使する暴力は無制約的です。公法諸国間では違法行為として禁止されている残虐行為が、域外では公然と行なわれてきました。北米やオーストラリアでの先住民大虐殺は、その一例に過ぎません。ヨーロッパ人がカリブ地方や中南米での虐殺を倫理的に正当化できたのは、先住民が「異教徒」だったからです。この点からすれば、ヨーロッパ域内では解消されていく宗教戦争的な正戦の論理が、植民地では延命し続けたともいえます。

主権国家は市民革命以前は絶対主義国家で、主権者は君主です。市民革命以降は人民が主権者であるという名目のネーション・ステート、国民国家に代わる。ナポレオン戦争以降、一九世紀のヨーロッパ公法諸国は国民国家が基本で、戦時国際法によって「保護・限定された戦争」は国民国家同士の戦争だから、これを「国民戦争」と呼ぶことにします。繰り返しますが、一九世紀の戦争でもクリミア戦争や普墺戦争、普仏戦争や米西戦争は国民戦争ですが、ズル戦争やインド大反乱やアヘン戦争をはじめとする、ヨーロッパの主権国家による域外での侵略と征服行動が惹き起こした戦争は公法外の無制約的な大規模暴力の行使でした。小規模ですが、幕末の日本を戦場とした薩英戦争なども。注意しなければならないのは、植民地での征服や侵略のための暴力が、国際法で規定された戦争ではないという点です。したがって、残虐きわまりない無制約的な暴力行使は合法でした。ヨーロッパ公法世界とそれに支配される植民地世界、言い換えればヨーロッパ公法「内」と「外」に分割され、その上で前者の優位性のもとに統合された世界の総体が近代世界です。一六世紀に形成がはじまる近代世界には固有の経済構造があるのですが、これについてはあとから話すことにしましょう。

年表的には二〇世紀に入ってからの戦争ですが、一九世紀的な国民戦争として戦われた最後の例が日露戦争でした。この戦争で日本は、わずか四半世紀後の満州事変にはじまるアジア太平洋戦争での、民間人殺傷や捕虜虐待、その他もろもろの戦時国際法の意図的蹂躙とは違って、きわめて模範的に国民戦争を戦っています。というのも日本は、植民地を領有する帝国主義国間の国際秩序の新メンバーに成り上がろうと、明治期を通じて必死の努力をしてきたからです。帝国主義国は「文明国」と称し、「野蛮人」や「未開人」の地を奪い、その住民を奴隷化する権利があると主張していた。不平等条約は「文明」が「野蛮」に暴力的に押しつけるもので、その「改正」のためには、日本も「文明化」しなければならない。だから憲法を制定し、議会を開設し、戦争に際しては戦時国際法を遵守して、悲願だった不平等条約を改正していく。朝鮮の植民地化を英米仏独露という極東の利害関係諸国に認めさせ、最後のヨーロッパ公法秩序のメンバー国家として東アジアに新興植民地帝国を築き始めます。

いまや野蛮国から文明国に「進歩」したことを証明するためも、日本はロシアとの戦争を、ヨーロッパ公法と戦時国際法の規範に優等生的に忠実なものとして戦う必要があった。日露戦争までの明治の日本人は、人道的な捕虜の処遇ひとつとっても、正常な判断力を失って「無謀な戦争」に突き進んだ昭和人とは違って健全だったという、司馬遼太郎史観のご都合主義は、あらためて批判するまでもありません。「野蛮人」を合法的に殺戮し奴隷化できる「文明国」としての権利を得るために、ロシア兵の捕虜を松山収容所で「人道的」に処遇したにすぎないのだから。このことは日露戦争で捕虜を人道的に処遇した日本が、日清戦争では旅順虐殺事件を引き起こしていた事実からも明らかでしょう。

▼第一次大戦と「世界戦争」の始まり

笠井　ところが日露戦争のわずか一〇年後に、一七世紀以来のヨーロッパ公法秩序は土台から揺らぎ、一九世紀的な国民戦争の論理では捉えられない異形の大戦争、グレート・ウォーが勃発します。世界戦争としての第一次大戦の大きな特質は、ヨーロッパ公法秩序のメンバー諸国が同盟国と連合国の二大陣営に分裂し、世界的な規模で戦争が戦われた点にあります。これが外見的な特徴で、世界戦争であると言われるゆえんですが、もう一つ、あまり注目されていない特徴がある。それは、敗戦国がすべて体制崩壊した事実です。憲法秩序や政体の崩壊（敗戦国はいずれも君主制だったので、君主制の崩壊）は、いわば国家の「死」を意味します。逆に言えば、敵国を体制崩壊させ、「国家の死」に追いやらない限り、いったん開始された戦争は終わらないことになる。

ロシアは英仏など連合国の一員として大戦を戦ったわけですが、戦争による社会危機、政治危機からロシア革命が起こり、ツァーリの帝政は倒されます。ドイツでも敗戦革命が勃発し、カイゼルが亡命してドイツ帝国は崩れ落ちた。オーストリア＝ハンガリー帝国も、オスマン帝国も同じです。敗戦国はすべて「国家の死」を迎えて、ようやく戦争は終わる。これは国民戦争と比べると、とても大きな違いですね。国民戦争は対戦国の「死」など求めません。対戦国を体制崩壊させることが戦争の目的ではない。利害対立に均衡点を見出すための合法化された戦争ですから、対戦国を殺してしまったら交渉相手が失われて、戦争を終結させられなくなってしまう。こうした合理化された一九世紀の国民戦争とは違って、第一次大戦は対戦国に「死」を求めた。戦場で毒ガス、機関銃、長距離砲、戦車、潜水艦などの新兵器が使われ、兵士と民間人の大量殺傷が行なわれたという残忍性は、戦争遂行主体である国家の「殺害」を目的化する残忍性と表裏の関係にあったのです。

わたしは小学生のとき、いまでいうミリオタ（ミリタリーオタク）で、『丸』という雑誌を愛読していました。戦艦や戦闘機のような兵器が好きな少年は多いのですが、わたしは大和やゼロ戦のプラモデルを作るだけではなく、戦史にも興味があった。ガダルカナルから敗退して以降の日本軍は、太平洋のいたる所で連戦連敗になるわけですが、幾度負けても軍部は「一勝を博して有利な講和に持ち込む」とか言い続ける。レイテで決戦だといって負ける。次は沖縄決戦で、また負ける。今度は本土決戦だと言い張るわけですが、いくら「一勝を博して有利な講和に持ち込む」んだと思っても、先方が講和交渉に応じなかったらどうするのか。当時の戦争指導層がそれに対する対処の仕方を考えていたとは思えなくて、子どもの時から不思議議でした。

アメリカがそんなことで講和に応じるわけはない。二〇世紀の世界戦争というのは、ワシントンに日の丸が立つか東京に星条旗が立つか、そこまでいかないと終わらない戦争だということが、第一次大戦を教訓化していればわかるはずなのに、日露戦争と同じ発想で日本は対米戦争を始めてしまう。陸で奉天戦、海で日本海海戦に匹敵する勝利を収めれば、それで戦争に勝利できるという思い込みなど、二〇世紀の戦争には通用しないことがわかっていない。日露戦争ではアメリカが留め男の役を果たしました。国民戦争では対戦国の間に入る行司役が存在し、戦争を合法的に終わらせるために仲介します。対戦国の係争点とは直接の利害関係を持たない第三国が仲介役を果たすわけです。しかし、世界戦争には留め男も行司役も存在しません。なにしろ列強諸国は残らず二大陣営のいずれかに属して参戦しているわけだから。

無知とも愚かともつかない、このアナクロニズムの正体はいったい何だろう。それが子どものときから疑問でした。湾岸戦争を横目で見ながら戦争論について考えているうちに、この長年の疑問が解けたのです。簡単に言うと、日本はアメリカやヨーロッパ諸国のようには第一次大戦を通過していない。三八銃のような日露戦争時代の装備で対米戦争を戦った日本は、戦争観や戦争思想という点にしても同じことで、最後の国民戦争だった日露戦争をめぐる固定観念に取り憑かれて思考が停止していた。これでは二〇世紀の世界戦争を、本質的なところで理解できなかったのも無理はない。そういうことだったんだろうと思いました。

対戦国の「死」を自己目的化した、クラウゼヴィッツの言葉で言えば「絶対戦争」としての世界戦争こそ、一九世紀までの国民戦争とは違う二〇世紀の世界戦争ではないだろうか。では、この戦争の意味は何なのか、ということが次の問題になります。第一次大戦が始まった理由は、国民戦争と似たような、バルカンの支配権などをめぐる列強の利害対立でした。それが国民戦争の枠を飛び越えて極端化していった理由を考えていくと、次のようになります。

併存する複数の国民国家が、場合によっては戦争で利害対立を再均衡化するというヨーロッパ公法秩序は、スタティックな帝国の秩序とは違って、ダイナミックであるぶん根本的な不安定性を抱え込んでいました。その国際関係システムの不安定性がついに限界に達し、諸国家をコントロールするメタレヴェルの権力を析出する方向に進みはじめた。それが二〇世紀の世界戦争の意味するところではないか。

ヨーロッパ公法秩序は、域内の暴力を最小にとどめ、それを排出することで域外の植民地主義的侵略と強権支配を実現するシステムでした。そして世界が列強によって分割され尽くしたとき、排出されていた暴力は逆流し、ヨーロッパで無制約的に氾濫しはじめた。このように二〇世紀の世界戦争を捉えることができます。そして到来したホッブズ的な自然状態＝戦争状態は、リヴァイアサンとして諸国家に君臨する帝国が誕生するまで終わらない。簡単に言うと世界国家をめざしての勝ち抜き戦、トーナメント戦が始まったというのが第一次大戦の意味だったし、この戦争には英仏、遅れて参戦した米が勝利します。

しかし不安定な平和は二〇年しか続かず、ナチス政権によって敗者復活を遂げたドイツが中心の枢軸国と、イギリスからヘゲモニーを移譲されたアメリカが中心の連合国によって、第二次大戦が戦われていく。第二次大戦に敗北したドイツや日本は体制崩壊し、戦勝国側でも一九世紀的な植民地大国だったイギリスとフランスは力を失って、最終的にはアメリカと、ロシアを引き継いだソ連が勝ち残った。

▼ソ連の解体と湾岸戦争の歴史的意味

笠井　第二次大戦が終わったとき、アメリカはすでに世界国家への道を歩んでいたと考えられます。諸国家の勝ち抜き戦から帝国が樹立されるのは歴史の常態でしたが、二〇世紀の世界戦争からは、中華帝国型あるいはローマ帝国型の「帝国」とは異なるシステムが生じるはずでした。二〇世紀世界の政治環境を前提として可能であり現実的でもあったのは、勝ち抜き戦の最終勝者が他の諸国を併呑し属領化する旧帝国型ではなく、諸国家のメタレヴェルに立つ世界国家のシステムではないのか。

連合国の盟主としてのアメリカは、戦時の連合国を平時に備えて再編して、国際連合を設立します。しかし、パリ不戦条約や国際連盟など両大戦間の国際平和主義や集団安全保障の試みを継承するものとしての国連、という国際政治学のリベラルな解釈に説得的な根拠はありません。主要国で唯一国内が戦場になることを免れたアメリカの力は、第二次大戦直後の時点で経済的、政治的、軍事的に圧倒的でした。アメリカに対抗し、アメリカと競争しうる国は存在しなかったのです。世界国家を析出するための運動として二〇世紀の世界戦争が戦われた以上、最終勝者アメリカが世界国家の椅子に座ろうとしたのは当然のことです。そのために利用できる機関として、国連は組織されました。

そのときに障害になったのがソ連です。イギリスは目下の同盟国で、フランスは事実上の敗戦国、国民党中国もアメリカの援助によってやっと日帝を追い出すことができた。安全保障理事会はアメリカの意のままになるはずでした。ただしスターリンは、ヤルタ会議で拒否権の問題に徹底的にこだわった。国連がアメリカの世界支配の道具になることを警戒したからです。しかし、その時点で正面からアメリカと戦う力はない。いつかアメリカに対抗するための切り札として、ソ連は常任理事国が拒否権を持つことを頑固に主張し続けました。拒否権についてはソ連に押し切られるかたちで、アメリカは国連を発足させせます。ルーズヴェルトには残された時間が少なく、あとを引き継いだ凡庸なトルーマン大統領は世界戦争と世界国家を巡る政治哲学にかんして、曖昧にしか理解していませんでした。それが一九四〇年代後半のアメリカ外交に、無定見な混乱をもたらします。

安全保障理事会の常任理事国は、アメリカに従属するしかない国によって構成されていた。ソ連も、原爆を持つアメリカとの根本的な対立は避けるだろう。そういう見通しの下で国連をつくったら、予想以上に急速にソ連が力を増していって東欧が社会主義化され、中国では共産党軍が勝利し、そして朝鮮戦争が起きる。朝鮮戦争で国連軍を組織したのが、アメリカのもくろみが成功した最後の例でした。こうして、第二次大戦直後に構想されていたアメリカの世界国家化は、実現されないまま冷戦に入っていく。

ようするに冷戦とは、世界国家析出のためのトーナメント戦に勝ち残った米ソによる第三の世界戦争でした。だから冷戦時代に国連は有名無実化していた。冷戦の決着がついたのは一九八九年です。九一年にはソ連が解体し、ようやくアメリカは第二次大戦直後の野心を実現できる条件を獲得する。このとき戦われたのが湾岸戦争で、それはアメリカ主導の多国籍軍による戦争だった。

世界国家が支配する世界では、「戦争」は存在しません。かつてなら戦争とみなされた国家規模の軍事行動は、たんなる「犯罪」になる。こうした事例を、すでにアメリカは経験していました。南北戦争です。すでに独立の主権国家になった南部連合にとっては、公法秩序によって合法化されるはずの「戦争」であるのに、独立など認めない連邦政府にとっては内乱、ようするに最悪の大規模犯罪行為にすぎません。同じようにフセインによるクウェート侵攻もまた、ソ連を倒して世界国家への道を歩みはじめたアメリカ、いわば準世界国家アメリカに対しての犯罪行為にすぎない。アメリカ軍ではなく国連による多国籍軍として湾岸戦争が戦われたことの意味は、以上の点にありました。

そのころ明治学院大学で間共同体研究会をやっていて、わたしも毎月東京に出て参加していました。西谷修や加藤典洋、それから竹田青嗣もメンバーでしたね。この研究会のテーマということではありませんでしたが、そこで定期的に顔を合わせる加藤さんや西谷さんと八九年、九一年の新事態についても議論はしていました。そこでの意見の交流も含め、この三人がのちに、それぞれの戦争論を提起していくことになります。西谷修の『夜の鼓動に触れる』や『戦争論』、加藤典洋の『敗戦後論』や『9条入門』、そして笠井の『探偵小説論Ⅲ』や『例外社会』や『8・15と3・11』など、内容はそれぞれ大きく異なるにしても。

冷戦終結後の一九九〇年代は、実質的には二一世紀に入っていました。二一世紀最初の一〇年は、中国がいうところのアメリカ「独覇」の時代になる。政治的には湾岸戦争を戦って勝利し、アメリカは世界国家への道を歩みはじめた。社会主義圏として経済的にブロックされていた国を資本主義圏に組み込んでグローバル体制が築かれていき、そこでもアメリカが圧倒的な力をもつ。経済的にも政治的にも、アメリカの世界国家化が進行していた時代が一九九〇年代でした。自由と民主主義が世界精神として実現され、そこに向けての人類の歩みは終わったという、当時よく語られていた「歴史の終焉」論がそのイデオロギーでした。

このまま準世界国家アメリカは世界国家として完成していくのか、かつてのソ連のような新たな敵が出現してアメリカの世界国家化は阻止されるのか、どうなるのかと思いながら見ていたところ、次に起きたのが二〇〇一年の9・11攻撃でした。これを「テロ」といえばアメリカ側に、「ジハード」といえばアルカイダ側に自動的に立ってしまうので、いずれも支持しないのであれば「攻撃」などのニュートラルな用語を使うべきでしょう。わたしはそうしています。マンハッタンの貿易センタービルの倒壊とともに、アメリカ世界国家のもとに世界が単一に編成されて、戦争は消滅し国際的な犯罪行為になるという、二一世紀世界の展望は大きく傷つけられた。二〇世紀は世界国家を析出するための世界戦争の時代でした。これに対し二一世紀は、アメリカの世界国家化の可能性が潰えた結果としての、世界内戦の時代になるのではないか。

▼二一世紀、「世界内戦」の時代

笠井　主権国家間の利害対立を、ヨーロッパ公法によって合法化された戦争で解決していく一九世紀の国民戦争。ヨーロッパ公法秩序の危機から生じた、世界国家析出運動としての二〇世紀の世界戦争。この二つの世界史的なステージを通過したあと、最終勝者としてのアメリカが世界国家となる権利を得た。しかしそれも、イスラム革命勢力による国際ゲリラ戦の一撃によって大きく揺らぎ、アフガン戦争、イラク戦争、シリア内戦という反テロ戦争の一時代に入ります。では反テロ戦争とは何なのか。世界国家の座を争って主要な公法諸国としての列強がトーナメント戦を演じた世界戦争とは、明らかに異質です。二〇〇〇年代から二〇一〇年代にかけて次々に起こり、いまも続いている戦争、一九世紀の国民戦争とも二〇世紀の世界戦争とも異質な戦争を、『例外社会』では、カール・シュミットの言葉を借りて「世界内戦」と呼ぶことにしました。国民戦争／世界戦争という発想を得たのは一九九〇年代のことでしたが、世界内戦のアイディアは9・11と反テロ戦争の二〇〇〇年代に生じています。

9・11への反撃としてのアフガン戦争は、世界国家化しつつあったアメリカが国際犯罪行為を取り締まる、湾岸戦争のような国際警察行動ではありません。事実アメリカは、湾岸戦争時のような国連のお墨付きを得ることは断念し、NATO諸国による集団的自衛権の行使として、この戦争を位置づけていく。そしてアフガン戦争に続くイラク戦争では、NATO諸国を巻きこむことにさえ失敗し、単独行動主義に追いつめられてしまう。国際社会にメタレヴェルの権力を析出することで、国家間の戦争を終わらせ恒久平和を達成しようという世界史的な展望を見失ったまま、泥沼化した戦争が蜿々と続いていくのが二一世紀という時代です。しかも戦争は主権国家と主権国家の戦争ではなくなっている。アルカイダは国家ではありません。それに対応するようにアメリカ側も、民間軍事会社に戦争を外注し始めた。いずれも国家ではないから、国家間の取り決めである戦時国際法など完全に無視した、無茶苦茶な軍事行動を平然と続けるようになる。こうして、いたるところに無法状態と無制約的な暴力の混沌が広がっていきます。

スペイン内戦のような例では、一国内で二つの勢力が対立し戦争をはじめる。ヨーロッパ公法秩序では戦争は主権国家間の戦争だから、それと区別して一国内の戦争を「内戦」というわけです。あるいは、一国の市民社会のなかで戦われる戦争という意味で、「市民戦争」とも。共和国政府軍とフランコ軍のように、当事者の一方はおのれを公的な権力とし、他方を犯罪集団と見なしますが、横から見ればそれは対等の勢力による戦争行為であって、違法な集団犯罪と合法的な鎮圧行動という振り分けはフィクションにすぎません。内戦状態では、国家という市民社会のメタレヴェルはすでに解体している。アルカイダやイスラム革命派という反乱分子を前にしても、湾岸戦争の際には存在した疑似世界国家的な力を失ったアメリカは、これを国際警察行動で鎮圧はできない。アメリカは世界国家というメタレヴェルから、いわばアルカイダと同じオブジェクトレヴェルに引きずり下ろされたわけです。ここでは湾岸戦争の時のような、政府による暴動の「鎮圧」や「警察行動」という比喩は通用しません。アメリカはアルカイダと同じ水準の存在として戦争を、世界内戦を戦うことになる。

　南北戦争でもスペイン内戦でも、勝利した連邦派やフランコ派は国家というメタレヴェルを再建し、市民社会の分裂は解消され内戦は終結します。しかし世界内戦に、そのような方向性や展望は存在しません。複数の政治勢力、国家が併存している空間では戦争状態が恒常化し、トーナメント戦に勝利した国が帝国としてその領域を一元的に支配するようになる。中国の戦国時代や古代ギリシャのポリス併存状態と同じことがグローバルな規模で再現され、二〇世紀は世界戦争の時代になった。しかしこの戦争は、秦帝国やアレクサンドロス帝国のような帝国を析出して安定状態に入ることなく、世界国家を実現する展望を失ったまま、終わりのない戦乱と暴力の混沌が世界中に広がるというかつて類例のない状態、世界内戦の時代がはじまりました。

▼ヨーロッパ公法秩序と、その解体後の世界

笠井　それから二〇年がたちました。9・11を画期として開始された世界内戦は、準世界国家としてのアメリカと、それに敵対する複数勢力との抗争として今日、三つの戦線で戦われています。第一は、イスラム革命勢力とアメリカを中心とする旧公法諸国、旧列強諸国とが衝突している戦線です。第二はロシアを引き込んだ中国とアメリカの覇権闘争。第三は、主としてアメリカやEU諸国を舞台とした、左右のポピュリズムによる既成政治勢力、左右中道派の相互補完体制への攻撃です。イスラム圏からの戦争難民の大量流入が、ヨーロッパで排外主義と右派ポピュリズムの台頭を加速したように、三つの戦線は相互に

重なり合ってもいます。文字通りの戦争、軍事衝突や戦闘が先鋭化しているのは第一戦線ですが、第二戦線もジョージアやウクライナのドンバス地方では戦争状態が生じ、台湾海峡、東シナ海（尖閣諸島周辺）、南シナ海（南沙周辺）などでも軍事的緊張は高まっています。第三戦線では各国で大規模デモの暴動化が頻発し、アメリカではパンデミック戒厳状態と大統領選挙戦とＢＬＭ蜂起が交錯して、シアトルなどでは両派の武装衝突が起きました。ナチ親衛隊と共産党の赤色戦線という左右の民兵集団が衝突を繰り返した一九三〇年前後のドイツのような光景が、アメリカ各地で再現されはじめています。

詳しいことはあとから述べますが、世界内戦の第三戦線は、世界戦争の国内体制だった福祉国家の新自由主義的解体を背景としています。二〇世紀後半に確立された米欧日の「豊かな社会」は、二一世紀に入って中流の没落や格差化／貧困化に見舞われました。アメリカの民主党と共和党、ドイツの社民党とキリスト教民主同盟に代表される、第二次大戦後の左右中道政党による政治体制は、そこからこぼれ落ちた民衆のポピュリズム的反乱に襲われつつある。これに対し第一戦線の主役としてのイスラム革命勢力、第二戦線の共産党中国には、ヨーロッパ公法秩序の形成期にまで遡る歴史があります。この点について少し説明しておきましょう。

大航海時代とヨーロッパの世界侵出による近代世界の創成は、ヨーロッパ公法秩序の形成を促しました。一六世紀を起点とする近代世界は一九世紀に、「資本主義を基軸とし帝国主義を上部構造とする近代世界」として完成されました。注意しなければならないのは、ヨーロッパ公法秩序が公法諸国／ヨーロッパ列強による植民地主義的な世界体制だった事実です。公法秩序の正規メンバーは、植民地を領有する強国、帝国主義国を意味していました。カール・シュミットは『大地のノモス』で、アフリカ最後の未分割地だったコンゴの領有を、ベルギーという小国の国王財産として承認したコンゴ会議をもって、公法秩序の空洞化が始まるといいます。それまで小国ベルギーは、公法秩序の正規メンバーとは見なされていませんでした。秩序の動揺が、そのような例外的な事態を招いたというわけです。

一五世紀末からの、ポルトガルとスペインに先導されたヨーロッパの世界分割ですが、これには大きく分けて二つの段階がありました。産業革命以前と以降です。一五世紀末から一八世紀末までの三〇〇年のあいだ、ヨーロッパが植民地として「面」を領有しえたのは主として南北アメリカでした。ヨーロッパ諸国には、ユーラシア大陸に存在したオスマン帝国、ムガール帝国、明や清という中華帝国を侵略しうる国力も軍事力もなかった。事情が変化するのは産業革命による国力の増大と、近代化された軍隊によってです。当時の最強国イギリスに、ユーラシア三大帝国のうちまずインドが屈します。一九世紀から二〇世紀初頭にかけて、オスマン帝国と清帝国への侵食は進行していきますが、オスマン帝国の最終的解体と中東の分割は第一次大戦後のことでした。それでもインドと違って、支配地を縮小しながらもトルコという独立国は生き残ります。中国の場合は、アヘン戦争から日中戦争まで一世紀にわたる侵略の歴史に耐え、清から中華民国へと、なんとか国としての体裁は保ったまま完全な植民地化は回避して、中華人民共和国の成立に至る。この共産党国家が、いまやＧＤＰ世界第二位を達成し、アメリカとの覇権闘争に乗り出してきたわけです。

一七世紀以来のヨーロッパ公法秩序と帝国主義列強による世界支配に、最後まで頑強に抵抗し続けたオスマン帝国と中華帝国の記憶や伝統を背負って、イスラム革命派と共産党中国という世界内戦の二つの主役が生まれ出た。世界内戦の第一戦線と第二戦線の形成に、このような近代世界の創生期にまで遡る世界史的背景があることは見逃せません。としてもカリフ制や中華帝国が完全復活し、人類史上最初のグローバルな世界帝国として二一世紀の世界内戦を終結させるとは考えられない。これら両勢力が伸張すればするほど、世界内戦の泥沼化は深まらざるをえません。ここ十年ほどの著作でわたしは、「世界国家なき世界社会」の形成が人類には唯一の出口ではないかと、繰り返し述べてきました。二〇世紀的な戦争の非合法化、集団安全保障、国連平和主義、などなどは世界内戦の現実に無力といわざるをえない。「世界国家なき世界社会」を実現する道としては、ヨーロッパ公法諸国に由来するそれぞれの主権国家の解体をめざして、自治／自律／自己権力の無数の集団を下から組織していくことです。

▼「世界社会」の構想

笠井　もう一点、現代世界には、主として第二次大戦後に誕生した「主権国家」が多数存在します。旧植民地が独立し、宗主国だった旧公法諸国から同格の国家として、いちおう形式的には認められたのでした。しかし、南米やアフリカや中東諸国の国境線を見ればわかるように、その線は植民地を領有した公法諸国列強によって恣意的に引かれた、せいぜい数百年の歴史しかない人工物にすぎません。一九世紀以降の主権国家は人民主権を標榜する議会制民主主義国家がスタンダードですが、第二次大戦後に群生した主権国家の大半が、その規範から逸脱している。ほとんどが権威主義国家や軍事独裁政権です。ただし、それに抵抗する市民革命的な大衆蜂起も、東欧のカラー革命、アラブの春、東アジアの民主化闘争など、世界各地で活性化してきました。こうした二一世紀の社会運動は、擬似的な主権国家体制からの解放を目指しうるのかどうか、それが問われていると思います。

そもそも植民地解放運動の最終目標が、自前の主権国家の樹立であるという固定観念が問題でした。中南米の植民地は一九世紀前半にスペイン、ポルトガルからの独立を達成しますが、じきにモンロー主義のアメリカに「裏庭」化されてしまう。米西戦争で保護国としたキューバを含め、アメリカは中南米とカリブ諸国を舞台として旧来型の植民地領有とは異なる、新たな植民地支配のシステムを確立していきます。第二次大戦後に相次いだ植民地独立には、英仏をはじめとする公法諸国が、独立運動などで非効率化した直接支配から、アメリカ型の間接的な新植民地支配に切り替えようとした結果でした。その法的形式が、植民地とされてきた国々に名目的な主権国家の地位を与えることです。

この点で国連は、第二次大戦後の新植民地主義にとって有益でした。総会で一国一票の権利を与えられた旧植民地諸国は、形式的には旧宗主国と「平等」です。しかし重要な決定がなされる安保理の常任理事国は、中国を例外として旧公法諸国の勝ち組で占められている。この二重構造こそ、国連が世界国家アメリカの下請け機関として発足した事実を示します。第二次大戦後の国際秩序は世界国家アメリカをメタレヴェルとして、その支配を容認する旧公法諸国、そして新植民地主義的に再編された名目的な新独立諸国という、垂直的な国際支配システムとして構想されていました。

新植民地支配が続く限り、旧植民地諸国の市民革命、民主化闘争は終わりません。そして新植民地主義体制を真に打破するには、疑似主権国家という制度的フレームを解体し、超えていくことが必要です。旧植民地と公法諸国の大衆蜂起が大小無数のコミューンに自己組織化し、主権国家の枠を下から掘り崩していく先に構想されるのが、世界国家でも世界帝国でもない「世界社会」です。マルクス的なプロレタリア世界独裁はもちろん、カント的な世界共和国も認めません。ハンナ・アレントがいうように、そんなものができたら、異論派や反体制派は国外亡命さえできなくなります。泥沼の世界内戦の時代を終わらせうるのは、このような世界社会の構想ではないでしょうか。

——その時「核」の問題はどういうことになりますか。

笠井　米ソ冷戦時代の核戦略は「大量報復」から「相互確証破壊」に進化していきますが、その背景にあったのは全面核戦争が世界の破滅、人類の死滅に帰結しかねないという相互的な危機感でした。たとえ先制攻撃で敵国のＩＣＢＭ基地を完全破壊できても、潜水艦搭載のＳＬＢＭによる核報復は防ぎようがない。互いにそのことを認識している以上、核戦争は起こせないし起こらないというのが、相互確証破壊による核抑止戦略です。これが功を奏したのかどうか、冷戦は核の熱戦に転化することなくアメリカの勝利に終わりました。

しかし世界内戦の二一世紀では、核戦争の可能性は増してきていると思います。それも水爆ミサイルが何百発も飛び交う黙示録的な全面核戦争ではなく、小型核爆弾や戦術核兵器を使った散発的な局地核戦争。世界内戦の主体は国家だけではなく、武装ボランティア団や民間軍事組織も含みます。国家理性など持ち合わせてはいないし、なにをするか知れたものではないアルカイダやＩＳのようなイスラム革命派が核兵器を持てば、使用することを躊躇しないでしょう。しかもアメリカなどが核攻撃を受けても、敵は国家でないわけだから、どこに向けて核報復をすればいいのかわかりません。

そのようにして口火が切られてしまえば、国家と国家のあいだでも戦術核兵器を使う敷居は低くなる。そこから全面核戦争に拡大する可能性も否定はできません。世界内戦が続いている限り、効果的な核軍縮は困難でしょう。国家のレヴェルでもゲリラ的な民間組織のレヴェルでも、使用可能な小型核兵器の開発競争は、むしろ激化していきそうです。実際にロシアは、通常戦争と核戦争のあいだに絶対的な敷居のない軍事戦略を検討している。

人類が核戦争の悪夢から解放されるためにも、主権国家体制を世界社会の重層的な自己権力ネットワークに解体吸収していく以外ないと思います。

▼総力戦体制と福祉国家型社会

――世界戦争と例外国家の時代に「総力戦体制」がつくられていきますが、「総力戦体制」とはなにか、「国民戦争」から「世界戦争」へという戦争の特質の変容とともに、「総力戦体制」の何が、どう変わっていったのか。そうした歴史的経緯をお話しいただけませんか。また昭和前期の日本の総力戦体制について。その際、戦争の体制が整えられていくにつれて、ナチスドイツを持ち出すまでもなく、福祉や公衆衛生、健康増進といった法も整備されていくというのが、私のほうの問題意識になるのですが、福祉国家という問題も含めてお話しいただければと思います。

笠井　国家利害の対立を解決するための「保護・限定された戦争」だった一九世紀の国民戦争の時代は終わり、第一次大戦を画期として世界戦争、国際社会のメタレヴェルの権力として世界国家を析出するための二〇世紀戦争の時代が始まりました。戦争の本質が変化したことに対応して、戦争を遂行する組織や体制も変革されていく。世界戦争による戦争の変質には、大きく分けて二つの点が見られます。第一は、総力戦体制の構築です。国民戦争の時代は、日露戦争のロシアがそうであったように、国家には負けを認める選択も可能でした。継戦のリスクと敗戦のリスクを天秤にかけて、負けるほうが得だと判断すれば、賠償金の支払いや領土の割譲を認めて戦争はやめることができた。しかし世界戦争では、それぞれ自国の「死」が掛け金になるのだから、どんなことがあろうと絶対に負けられません。勝つためにはなんでもする。たとえば、一国のあらゆる資源を戦争のために再組織し、再配置し、総動員するようになります。そうなると、戦争とは無関係に市民生活を営むことが不可能になる。生産や消費の場、育児や教育の場など、市民の日常生活のすべてが戦時色に染め上げられてしまう。こうして戦争は総力戦に転化し、総力戦体制が構築されていきます。

第一次大戦では、ドイツが先行して総力戦体制を組織したのですが、それに引きずられるかたちでイギリスもフランスも同じような体制を作り始める。総力戦体制という市民社会の戦争化は、第二に、市民社会の前線化、戦場化という新事態をもたらしました。総力戦では前線と後方、戦場と市民社会の区別は消えます。国家の統制によって工場が軍需生産に傾注し始めると、敵軍は民間人が働いている工場を攻撃し、破壊することになる。戦時国際法で禁じられていた後方攻撃や、民間人の殺傷が平然となされるようになる。第一次大戦では、ドイツのUボートによる英米の旅客船や貨物船への無差別攻撃がそれに当たります。ドイツのゲルニカ爆撃や日本の重慶爆撃を先例として、第二次大戦になると軍用機による戦略爆撃が全面化していき、その極限として広島と長崎に原爆が投下されました。軍隊だけが戦争するのではない、国家や社会の総体が戦争に呑み込まれていくのが、国民戦争とは異なる世界戦争の特質です。

世界戦争と総力戦体制は、一九世紀的な国家像と社会像に根本的な変化をもたらしました。国家は夜警国家でいい、あとは「見えざる神の手」に導かれて市場社会が自己運動していけば、あらゆる意味で最適の結果が得られるという一九世紀的な自由主義が、二〇世紀的な統制主義に変貌していく。総力戦に勝ち抜くには、何をどれだけ生産するかの決定を市場に委ねてはおけません。戦争遂行に必要な生産計画を国家が作成し、企業を指揮下におく統制経済化が進んでいく。

この流れは第一次大戦が終わっても元には戻りませんでした。一九世紀的な自由主義経済は、二〇世紀的な統制経済に変質していきます。第二次大戦に向かう過程では、ソ連の社会主義計画経済や、ナチスドイツの国家統制経済の躍進が見られ、日本の近衛内閣もドイツやソ連を手本に国家総動員体制を構築していく。それは自由主義の国アメリカでも同じで、国家財政による有効需要の創出というかたちで、国家による市場への人為的介入が試みられました。ニューディール政策ですね。第二次大戦がはじまると、第一次大戦期を凌駕する経済の国家統制が進んでいき、この流れは戦後も続いていきます。それをマルクス経済学者は国家独占資本主義と呼びましたが、いまでは使われない言葉ですね。レーニンの帝国主義論には世界戦争の契機が決定的ですが、国家独占資本主義論には戦争という要素が過小評価されていたからです。

二〇世紀の総力戦体制は、一九世紀的な市民社会の秩序や規範も大きく変えていきました。たとえば、各分野への女性の積極的な進出です。男はみんな戦争に行くわけですね。そうすると、以前は家庭に閉じ込められていた女性たちが、正規の労働力として工場で働くことになる。女性が経済力をつければ、ある程度にしても、古い性別役割分業は改変されざるをえない。第一次大戦後から女性が参政権を獲得していくようになるのも、こうした流れから理解できます。夜警国家は市民社会のあれこれに嘴を突っ込みません。貧困も失業も自己責任、市民はそれぞれ自分でなんとかしろということで、社会は回っていた。しかし男を軍隊に、女を工場に動員する総力戦国家は、国民の生活まで面倒を見なければならない。たとえば、両親が戦場や工場に行って留守のあいだ、誰が子どもの面倒をみるのか、という問題が生じます。国が託児所や保育所を整備しなければならなくなる。これは一例ですが、戦争遂行のために家族をはじめとする市民社会の諸分節を国家が管理統制する結果、その安定的存続のための保障システムも、国家は整備しなければならなくなる。このようにミシェル・フーコーのいわゆる生権力が、世界戦争下では新たな展開を遂げていきます。

日本で国民皆保険、最低賃金制、国民皆年金などを導入したのは岸内閣で、岸信介は東條英機の戦争遂行内閣の商工大臣、いまの経産大臣を務めた人物です。こうした岸の経歴そのものが、二〇世紀前半の総力戦体制と二〇世紀後半の福祉国家の連続性を物語っています。

▼福祉国家の新自由主義的解体

笠井　第二次大戦後の二〇世紀後半に西ヨーロッパやアメリカや日本で、それぞれ傾向の相違は見られても共通するところの多い福祉国家が、同時的に形成されていきます。第二次大戦後の、福祉国家に支えられた「豊かな社会」とは、つまるところ二〇世紀的な世界戦争の国内体制でした。これは国家独占資本主義論が見落としたポイントです。ようするに世界戦争が冷戦として継続されたのと相即的に、二〇世紀前半の総力戦体制は「平和」的形態に再編された。それが二〇世紀後半の福祉国家の正体でした。だから世界戦争が終わった二〇世紀後半以降、福祉国家が新自由主義的に縮減、解体されていくのは必然的だったといえます。一九世紀的な旧自由主義は世界戦争と総力戦体制によって、いったんは葬られた。しかし世界戦争に勝ち抜くための福祉国家、大きな政府の必要性が失われたとたん、自由主義がアダム・スミスの時代とは違う新しい形で復活してきたわけです。公共部門の民営化、正確に言えば私営化＝営利法人化ですが、あるいは福祉予算の削減や社会政策の縮小化など、大きな政府から小さな政府へという流れには、こうした背景があることに注意するべきでしょう。

この点からいえば、新自由主義国家とは二一世紀的な世界内戦国家です。福祉国家の解体と公共部門の民営化、労働力の非正規化と生活の不安定化や貧困化、中流の解体と没落、富の極端な遍在とアンダークラスの形成など、二一世紀に入ってから社会問題化してきたもろもろは、世界内戦国家の必然的な産物でした。格差化や貧困化との闘争に際して、二〇世紀後半の福祉国家や「豊かな社会」の復活を待望するのは夢想に過ぎません。

イギリス労働党の党首だったコービンや、アメリカ民主党左派のサンダースは「新しい社会主義」、「民主的社会主義」を標榜するのですが、どこが「新しい」のかわかりません。それは二〇世紀の総力戦体制と世界戦争国家を、「左」から支えてきた社会民主主義とどう違うのか。二つの二〇世紀社会主義のうち、ボリシェヴィズムは惨憺たる実情をさらして自己崩壊し、福祉国家の柱だった社会民主主義も空洞化を深めている。たとえばドイツ社会民主党は二大政党の一方という地位を失い、フランス社会党は消滅寸前まで弱体化しました。こうした二〇世紀社会主義の敗北の総括ができていないから、多少はエコでSDGsな福祉国家ならいいだろうという、見当違いな議論にしか行きつかない。これではネオリベ社会の格差化や貧困化に対抗し、真に克服することは難しいといわざるをえません。

福祉国家は二〇世紀の世界戦争の国内体制だった。この歴史的背景を抜きにして、福祉国家の果実だけを取り戻そうというのは、どう見ても不可能です。二一世紀の没落し貧困化する中流、新しい貧民プロレタリアやアンダークラスの解放のためには、社会民主主義的な福祉国家とは違う方向性が必要でしょう。世界内戦が必然化する難民、移民の大量化に排外主義的、差別主義的な態度をとり、右派ポピュリズムに動員されていく流れが一方にはある。たとえばアメリカのトランプ支持派です。しかし、この流れは世界内戦国家の強化にしか帰結しません。それとは反対に、世界内戦国家の必然的な産物である貧困化と闘う方向性もある。どちらに向かうべきかは明らかです。

▼「例外状態」論から「例外社会」論へ

笠井　ソ連が崩壊した一九九〇年代に、ヨーロッパ公法秩序をめぐるカール・シュミットの本を読んでいたと言いました。ここから国民戦争と世界戦争の概念を取り出したわけですが、一九二〇年代、三〇年代のシュミットの議論としては「例外状態」論も無視できません。第一次大戦後のドイツでは一九世紀的なネーションステート、国民国家や法秩序は危機に瀕しているという認識が、その前提にはあった。

「例外状態」というのは、憲法秩序が一時的に停止された状態です。大混乱が社会を襲うとき、たとえば戦争や内乱、革命や暴動、大災害などですが、平時の法秩序は維持できなくなる。既成の法律を厳守していると社会秩序が崩壊してしまうようなときには、行政権力による超法規的な措置が要請される。

国家や社会を防衛するために、憲法に定められた人権も一時的に制限されます。憲法には憲法の一時的停止についても、戒厳令や緊急事態条項、その他として書き込まれている場合が多い。日本国憲法にはないので、自民党の憲法草案にはその条項が加えられていますが、もっとも危険な憲法改悪の焦点は、九条よりもこちらのほうです。

しかし、カール・シュミットが問題にしたのは、そういうことではありません。いや、ワイマール憲法の「大統領の独裁」条項を使えば、ワイマール国家を内側から合法的に打倒できるというような議論もしていて、実際にナチスはそのようにして独裁体制を築いたわけですが。しかし、より核心的なのはシュミットによる議会主義批判です。平時では、社会的な対立は利害対立が基本で、思想的あるいは政治的な対立は利害対立に従属している。したがって、対立する利害を調整して均衡点を見出せば社会は回っていく。これは、国家間の対立は利害対立に還元できるというヨーロッパ公法秩序のいわば国内版で、いずれにしても近代的な政治観の産物です。

一国内で最高の利害調整機関は議会ですね。議会での意見調整の背後には、社会的な利害対立がある。だから議会主義とは、交渉と妥協によって調整できる程度の対立しか、社会には存在しないという信念と一体です。しかし、議会主義に染まった国家や社会では覆い隠されている、根本的な対立が存在する。利害のすり合わせで何とかなるようなものではない、倒すか倒されるか、殺すか殺されるか、そういう決定的な対立が生じる場合がある。

こうした例外状態では、議論による利害調整という頽落した議会主義的政治ではない本来の政治、真の政治が問われざるをえない。非和解的な敵と味方の対立や、倒すか倒されるかの闘争が政治の本質であって、利害のすり合わせと妥協に専念する議会主義は堕落した政治にすぎない。ビスマルクには「政治とは妥協の産物であり、可能性の技術（アート）である」という有名な言葉があります。例外状態の修羅場に幾度も耐えてきた鉄血宰相だからこそ、例外状態の危機から回復された秩序の重みを知っていたのかもしれません。しかし、生まれたときから法と秩序を当然のものとしてきたビスマルクの後継者たちは、この言葉を額面通りに理解して、太平楽にも政治を利害調整以上でも以下でもないものとしたわけです。

それを批判するシュミットの主張は、一九世紀的な国民国家による国際秩序、ヨーロッパ公法秩序が土台から揺らいで、世界戦争の時代が到来した二〇世紀的な新事態を背景としていました。国家の外にある公法秩序の危機とは、国家の内側では憲法秩序、あるいは議会主義的秩序の危機になる。第一次大戦の敗戦国ドイツでは、とりわけ一九世紀的秩序の空洞化や弱体化が深刻でした。それがナチス革命によるワイマール体制の打倒にいたるわけです。シュミットが一九世紀的な憲法秩序、議会主義的な法秩序の危機として例外状態を論じたことには、このような時代的な意義があった。

例外状態における市民的権利の制限ということでいうと、総力戦体制による国家の経済領域や市民社会への干渉は、議会で法律が通っている場合であっても、実質的に例外状態的です。学生や女性を強制的に工場に動員して働かせるなど、市民の諸権利を戦争遂行のために制限するようななし崩し的な例外状態化は二〇世紀的で、憲法の規定に従って憲法秩序を一時的に停止する一九世紀的な例外状態とは異質でした。二〇世紀には、このように例外状態の意味が変化している。これを『例外社会』では憲法上の例外状態とは区別して、「例外国家」と呼ぶことにしました。危機に対処するために、憲法秩序を一時的に停止するという古典的な例外状態にたいして、世界戦争の時代の二〇世紀では、例外状態が恒常化し例外国家化が進行していく。例外国家には東側の収容所国家型と、西側の福祉国家型という対立するパターンが存在し、この両者が二〇世紀後半では、第三次大戦としての冷戦を戦ったわけです。

例外国家というのは、先ほどから言っているように国家による市民生活への干渉と統制を含むわけで、それは戦時体制だけではなく、戦争が終わって平時になっても二〇世紀ではずっと続いていたし、その副産物としての福祉政策や社会政策も持続されていた。二〇世紀後半の先進諸国、旧ヨーロッパ公法諸国は、鉄砲玉は飛んでこないという意味では平和でした。人々は「豊かな社会」を謳歌していたわけですが、それでも冷戦は戦われていた。戦闘なき世界戦争として冷戦を戦うために、第二次大戦後も引き伸ばされた戦時体制が続いていた。ようするに二〇世紀とは例外国家の時代、例外状態が国家規模で永続化された時代でした。だから例外国家とは、一九世紀の自由主義国家、夜警国家に対立するものです。それは総力戦体制を恒常化した、世界戦争を戦うための世界戦争国家でもある。第二次大戦後、総力戦体制を「平和」的形態で継続した福祉国家もまた、例外国家の一形態でした。

▼日常化された例外社会

笠井　しかし二〇世紀という世界戦争の時代は終わり、例外国家も役割を終えます。大きな政府はやめて、公共部門も分割民営化して市場化する、役人の数も減らし、福祉予算も削減する、などなど。いわゆる新自由主義の方向に旧西側先進国は走り始めます。このように例外国家の時代は終わったと一面では言えるとしても、しかし二一世紀社会でも日常化された例外状態は、例外国家とは違う形態で継続され、むしろ強化されている。

それが歴然としてきたのは、世界内戦の口火を切った9・11直後からのことでした。反テロ戦争はアフガンやイラクで戦われるだけでなく、ウイルスのように浸透してきたテロリストとの戦争としてアメリカや、フランスなどEU諸国の国内でも戦われていく。国内で反テロ戦争に勝利するという名目で、さまざまな規制が設けられた。それだけではなく、市民社会の内側から相互監視のようなかたちで、個人の権利が私的に制限されていくという、例外国家の論理からは外れた事態が目立つようになりました。これはいわば脱法規的な規制で、超法規的な例外国家のそれとは違う。ここから「例外社会」というキイワードが浮かんできました。例外社会では市民社会が恒常的に例外状態化していく。国家の規制とは違う次元で、社会が自発的に「テロリスト」と戦い、地域でも多数派住民がイスラム系住民を監視し、管理し、さらには暴力的に排除していく。

アメリカやヨーロッパと違って、反テロ戦争の戦場になることは回避しえた日本でも、二一世紀に入って監視カメラの設置が急増しました。警察や自治体が防犯上の理由で付けたカメラより、住民が自発的に付けたり、あるいは設置しろと警察や自治体に要求していく例のほうが多い。これもまた下からの例外状態化、例外社会化の事例といえます。人々はセキュリティの論理を優先して、みずからプライバシーの権利を放棄し、あるいはたがいに制限しあっていく。もちろん国家による超法規的な権力行使も、たとえばグァンタナモ基地でのイスラム教徒捕虜に対する違法な長期拘禁や拷問を典型として存在したし、いまも存在しています。

デストピア文学の傑作としてジョージ・オーウェルの『一九八四年』と、オルダス・ハクスリーの『すばらしい新世界』が挙げられます。前者はソ連収容所国家を想像的に極大化したデストピア、後者は生化学テクノロジーが諸個人と社会を不可視の権力として、フーコーの言葉で言えば生権力としてコントロールするデストピアです。どちらが二一世紀の不吉な未来を先取りしているのかという議論が、〇〇年代には行なわれていた。その頃から思っていたのですが、どちらかという設問はナンセンスで、どちらもに決まっているではないか。

例外国家は総体として例外社会に置き換えられたわけではなく、福祉国家的な側面を無限縮小し、収容所国家的な側面を先鋭化しながら例外社会を補完してきます。

▼コロナ禍と進行する例外状態

笠井　社会主義の崩壊から三〇年、９・11から二〇年という節目の二〇二〇年には、新型コロナウイルスによるパンデミックが世界を襲います。その余波というべきか、このインタビューもズームでやっているわけですが、最近半年ほどで例外社会化の進行にかんして、新たに見えてきたことが少なくない。

どの国でもコロナ対策には三つのパターンがありました。第一は緊急事態令や非常事態宣言によるロックダウンと感染者の強制隔離などで、これは古典的な例外状態です。第二に、とりわけ中国、韓国、台湾などで推進されたＩＴ防疫ネットワークの構築でした。これらの諸国が、二一世紀の今日にも東アジアに残存する冷戦体制下の臨戦国家である事実が示すように、いわば例外国家的な対策です。しかし日本には幸か不幸か、例外状態をめぐる法規は存在しません。また東アジアでもＩＴ化は最後進国です。日本の実効的な防疫の主役は「自粛」でした。四月七日に緊急事態態宣言が出ても、飲食店の休業などは罰則のない要請が可能になるにすぎません。ようするに「自粛」の「要請」という自己矛盾的な施策です。自粛がアメリカやヨーロッパ諸国で施行された法的強制措置よりも有効だったのは、「白粛警察」の過剰なまでに旺盛で、ときとして暴力的でもある治安維持活動、民間防疫活動の「成果」でした。これが第三のパターンとしての、例外社会的な対策だったといえます。

ただし、第二のＩＴ監視網の構築にしても、単純に例外国家型の対策とはいえません。韓国にしても中国にしても、市民による電子的な個人情報の日常的な供出は、『一九八四年』のビッグブラザー社会のような、言い換えれば収容所国家型の例外国家の権威主義的権力による、暴力と強制の産物とは一概には言えないからです。国家や企業へのＩＴ化された個人情報の全面供出は、そうしたほうが便利で快適だという、市民側からの積極的な同意によります。現金を持ち歩く不便より、カード決済のほうが便利というような。スマホでの位置情報の供出も同じです。こうして、収入と支出の細目から始まって、誰がいつどこで何をしているかまで、あらゆる個人情報が企業や国家に把握され集積されていく。

ＩＴ防疫ネットワークの構築には、安全と快適を最高価値とする下からの積極的な同意が前提で、この点からすれば半ば例外社会的な対策でした。完成された例外社会、ジル・ドゥルーズのいうコントロール社会では、第二パターンの下からの合意や支持という要素と、第三パターンの自粛という要素の複合が支配的になりそうです。高度にＩＴ化された自粛警察の全面的な活動があれば、それでもわずかに残る異論や抵抗を、主権権力は暴力的に排除するだけでいい。この、きわめて効率的な支配システムが、二一世紀の世界内戦に対応した世界内戦国家の国内体制になるでしょう。

中国はＩＴ監視体制、国民コントロール体制では優越していても、収容所国家型の二〇世紀性を引きずっているし、もう一つの高度ＩＴ国家であるアメリカは「自粛」的な例外社会性が薄くて、異論や抵抗の余地が大幅に残されている。もしも日本社会のＩＴ化が東アジア諸国並に高度化していけば、完成された世界内戦国家へは最短距離ということになるのかもしれません。韓国や台湾には市民社会に強力な対抗運動が根付いています。露骨に強権的、暴力的な対応を取らざるをえないことからもわかるように、中国でも農村部や貧困層の打ち壊し的な小蜂起がいたるところで蔓延している。ＯＥＣＤ諸国で唯一、所得の平均水準が持続的に低下し続けているというのに、死んだように平穏で反貧困蜂起さえ起こらない日本の自粛社会は、この点でも例外社会化のトップランナーといえそうです。

――先ほど、コロナの問題があって、さらにいろいろなことが見えてきたとおっしゃっていましたが、コロナ禍がもたらした社会的、思想的影響といったものについてもう少しお話しいただけますか。

笠井　パンデミック対策の第一パターン、ロックダウンによる市民的自由の制限にかんして、たとえばジョルジョ・アガンベンはきわめて批判的でした。しかし権威主義的国家と市民的自由という対立構図は古典的に過ぎて、今回のパンデミックが露呈した事態には当てはまりません。先ほども述べたように、日本政府は実効的な対策をなにもとらない、とれないのに、市民による相互監視、相互管理が隅々まで網を張って、市民的自由の制限も下から自発的になされてきた。しかもそれが二〇二〇年一〇月現在までのところ、一応は実効性があるようです。非常事態法もIT防疫体制も存在しない日本なのに、台湾や韓国と比較してもそれほど悪い状態とはいえないし、アメリカやヨーロッパと較べてウイルスの蔓延はある程度まで押さえられている。いまのところ最強なのは、収容所型例外国家とIT例外社会の結合としての中国でしょう。新型コロナの発生地が、いまや世界でもっとも安全だというのも皮肉な話です。

▼「世界内戦」における都市蜂起の連鎖と社会運動

——例外社会化が進行してしまえば、元には戻れないということになりますか。

笠井　いや、オルタナティヴはあります。

一九八四年の『テロルの現象学』の第三部「集合観念」は、連合赤軍事件から『収容所群島』まで、あるいは中国とヴェトナムの社会主義国家間戦争やカンボジアの虐殺共産主義など、マルクス主義に主導された二〇世紀革命の退廃と硬直、その果ての自己崩壊という否定的状況を見据えた上で、革命のオルタナティヴを模索する試みでした。それから四半世紀後、二〇〇九年の『例外社会』第三部「群衆論」では、サブプライム危機によるグローバル資本主義の破綻と格差化や貧困化、それに対する大衆的抗議の高まりという時代状況を念頭に置きながら、かつての集合観念論を発展させるように努めました。

その先のことは、『例外状態の道化師《ジョーカー》』という本で少し書きました。ヨーロッパ公法諸国が二〇世紀後半に実現した福祉国家と、議会内の左右中道派による補完体制は、その枠組の外から噴出する左右「過激派」の蜂起によって、いたるところで動揺し、崩壊しはじめている。アメリカではオキュパイ派とトランプ派としてあらわれている、政治的には対極の二種類の大衆蜂起は、なにを意味するのだろうか。これについて、映画『パラサイト』や『ジョーカー』を素材として考えてみました。

世界内戦の第一の戦線は、イスラム勢力の国際革命戦争とアメリカなどによる反テロ戦争で、第二は米、中、ロなどの国家間対立から派生する武力紛争や局地戦争。これについて付言しておくと、世界戦争は当事者の主観としては、恒久平和の「理想」を実現するための、世界国家を目指した勝ち抜き戦でした。帝国主義の身勝手な理屈、欺瞞的な看板に過ぎないとしても、一応のところ「八紘一宇」や「大東亜共栄圏」、「ドイツの生存圏」や「広域国家の新世界秩序」、「社会主義世界革命」、あるいは「反ファシズムと民主主義世界の防衛」などなど、勝ち抜き戦に参加する諸国は、それぞれの「理想」を振りかざしていたのです。しかしいまや、トランプのアメリカも中国もロシアも、人類社会の普遍的「理想」というような表向きの綺麗事など、はじめから語る気などない。どの国も「我が国ファースト」で、身も蓋もない利害第一路線ですね。

第三の戦線は、国際的な都市蜂起の連鎖です。その皮切りは二〇一一年のアラブの春でした。チュニジアから始まって北アフリカ、中東、トルコというイスラム圏、ヨーロッパではギリシャ、スペイン、イギリス、さらにアメリカにわたって、ニューヨークのウォール街の占拠運動と、都市蜂起が国際的に連鎖していきました。蜂起があれば弾圧があり、場合によっては軍が出動して、世界内戦の第三戦線が形成されます。

冷戦の終結、ソ連の崩壊、新自由主義とグローバリズム、アメリカ「独覇」体制から単独行動主義へ。これらの事態が進行した二〇年のあいだ、シアトルの反ＷＴＯ闘争

（二〇〇〇年）にはじまる反グローバリズム闘争を例外として、旧ヨーロッパ公法諸国を中心とする世界から強力な社会的闘争、大衆蜂起は消滅したという雰囲気が濃厚でした。

それに決定的な変化を起こしたのが二〇一一年の世界同時蜂起です。これは第二の「六八年」として記憶されるべき出来事、『例外社会』の結論での展望が恣意的な希望的観測ではなかった、眼前で歴史的事実として証明されつつあるという納得がありました。「六八年」と同じく「一一年」もその一年だけの出来事ではなく、アメリカからさらに西に移動して東アジアまで達します。

日本では二〇一二年の反原発運動、そして新大久保で在特会とカウンター集団が激突した反レイシズム運動として。あるいは香港の雨傘運動、台湾のひまわり運動、韓国のろうそくデモでは、数十万の大衆デモが首都を占拠していきます。こうした社会的闘争の力を背景として、二〇一六年に台湾で蔡英文政権、翌年には韓国で文在寅政権という左派政権が樹立されていく。またフランスでは、貧困化した中流層によるジレ・ジョーヌ運動が活性化しました。

▼「例外社会」を超える可能性

笠井　しかし二〇二〇年に入って、「一一年」を起点とする歴史的波動は、新たなステージを迎えたようです。パンデミックによる都市封鎖と戒厳状態によって、大衆的な街頭行動、都市蜂起が閉塞させられていく。しかもコロナによる膨大な感染者と病死者は、新自由主義社会の階級的性格を端的なものとして暴露しました。アンダークラスの貧困層や、エッセンシャルワーカーと呼ばれる下層マニュアル職の人々の犠牲が圧倒的に多いのです。経済活動の停滞とコロナ不況から生じた経済危機も、これらの人々にしわ寄せされていく。それに加えて、先に述べたような例外社会化の進行があります。それに対する反撃としてアメリカでＢＬＭ（ブラック・ライブズ・マター）運動が爆発し、世界に拡大していく。二〇二〇年のＢＬＭ蜂起は、アフリカ系アメリカ人の解放闘争に新たな段階を画し、「一一年」以来の国際的な大衆蜂起に新しい質を導入したといえます。

新しい質とは、一六世紀以来の近代世界システムを総体的に変革することなしには、われわれは解放されえないという大衆的直感です。アメリカの黒人が置かれている境遇は、世界が世界化されて以来五〇〇年の抑圧システムの産物だから。「資本主義を基軸とし帝国主義を上部構造とする近代世界」の総体を根本的に変革することなしに、泥沼の世界内戦を終結させることはできない。二一世紀資本主義が作り出してきた富の遍在と格差化の解決も、アンダークラスが貧困から解放されることも、奴隷貿易を決定的な要素として形成された近代世界の変革と不可分だという認識を、たとえばブリストルで奴隷商人の銅像が川に投げ込まれ、メキシコでもコロンブスの銅像が撤去されたことなどが示すように、BLM蜂起は参加者にもたらしはじめている。これは画期的なことです。

「一一年」を起点とする大衆蜂起の新たな時代では、反貧困と民主化が二つの大きな課題ですね。これに、たんなるPCではないラディカルな反差別が加えられた。「一一年」の場合、発火点の北アフリカでは民主化がメインテーマでしたが、地中海を隔てたスペイン、ギリシャの街路占拠闘争、あるいはイングランド暴動のイギリスでは反貧困が焦点で、EUによる新自由主義政策の押しつけに対抗する反緊縮運動になる。それがギリシャやスペインではシリザやポデモスといった左派ポピュリズムの伸張をもたらし、イングランド暴動のイギリスでは反EU世論はブレクジットの方向に進みました。フランスの反貧困運動ジレ・ジョーヌもですが、大衆的ブレクジット派は「右／左」の政治図式には収まらない性格が共通しています。

もう一点、重要なのは、「二一年」以降の運動の直接民主主義的性格です。この直接民主主義は、「六八年」の学生コミューンやスチューデント・パワーの場合もそうだったように、たんに反代議制を意味するわけではない。あるいは少数派の支配に対して多数派のそれを対置するわけでも。それは公法諸国の人民主権国家、そのシステムとしての議会制民主主義の時間的な「前」、あるいは空間的な「外」にこそ、民主主義は存在するという確信です。人民の権力は憲法という紙切れの中にあるのではない、議会という閉じられた特権的な場所にあるわけでもない。人民の権力は街頭から生じる。蜂起する大衆の意志こそが人民主権の実質をなしている。

「二一年」以来の広場占拠、街頭占拠、都市占拠という運動形態が意味するのは、当面する要求が反貧困であれ民主化であれ、それは議会外に民主主義空間を創造し、大衆蜂起を自己組織化する以外に実現されえないという確信です。大衆蜂起の自己組織化とは、かつてコミューンやソヴィエト、レーテやフンタと呼ばれた評議会運動、民衆的な自己権力運動の継承でもある。二一世紀の世界内戦と、世界内戦国家の国内体制としての例外社会を超えていく唯一の可能性がここにある。これがオルタナティヴです。

大衆蜂起という路上の人民権力がブルボン王政を打倒したフランス革命ですが、絶対主義の産物である主権国家を超えることはできませんでした。君主から人民に看板が掛け替えられても、その存在自体が抑圧的である主権国家の実質はなんら変わらない。連邦制をとったアメリカ革命とロシア革命にしても同じです。二〇世紀、そして二一世紀に入っても、それは幾度となく反復されてきました。たとえば一九八〇年代後半に東アジア諸国で連鎖した民主化運動は、開発独裁政府や軍事独裁政権を倒したにもかかわらず、その後はグローバリズムの大波に呑み込まれ、韓国でもフィリピンでも民主化の成果は失われていきます。一九八九年以降の東欧とロシアの民主化運動にしても。民主化も反貧困も一国内で終始するなら、大衆蜂起が下から自己権力を積み上げていくという展望は空転し、かならず限界にぶつかる。やはり世界同時革命しかない……。

▼米中同時革命

笠井　わたしが考えていることは、現実性のない夢物語でしょうか。マルクスが一八四八年革命のときに世界同時革命と称していたのは、イギリス、フランス、ドイツの同時革命ですね。マルクスはドイツ人なので、革命の条件などないドイツを無理に押しこんでいるだけで、実質は英仏同時革命です。経済のイギリスと政治のフランスで同時に社会主義革命が起これば、他のヨーロッパ諸国はそれに従わざるをえない。ヨーロッパが社会主義化すれば、植民地はどうにでもなる、という発想です。このヨーロッパ中心主義は、近代世界総体の変革という点からして反動的で差別的ですが、世界革命ヴィジョンという点では参考にならないでもない。

二一世紀の今日、アメリカと中国で同時革命が勝利し、樹立された新政府が国際ルールを合意してしまえば、世界はそれに従わざるをえないことになる。ただし、その新権力は、なにもしません。なにもしないことに意味がある。大衆蜂起の自己組織化運動を肯定し、容認しているだけでいい。そして大小無数の自己権力体が下から積み上げられて国の規模まで成長し、あるいは国境を越えて横に連合していく過程で、静かに退場していくこと。なにもしないことを「する」、これが樹立された「革命」政権の仕事ならざる仕事です。フランス革命やロシア革命の時のように、米中両「革命」政権に反革命干渉戦争を起こせる国など存在しませんから、この点でも「革命」政権が下からのコミューン革命を弾圧し、対外戦争に強制的に動員するようなことにはなりません。

アメリカ国内はいま、大揺れに揺れています。トランプ派とオキュパイ派の街頭勢力がいたるところで激突している。大統領選でトランプが負けても、そのまま居直る可能性は少なくない。その前にトランプ派の民兵集団に投票所を襲わせるとか、郵送票を奪わせるとかして、選挙の無効を宣言するかもしれない。そのとき反トランプ派はどうするのか。議会も裁判所も軍も分裂し、内戦状態になる可能性も皆無とはいえません。内戦までいかなくても、かつてない政治的な激動が生じるでしょう。仮にトランプが敗北を認め、おとなしく引っ込んだとしても、中道左派の民主党、あるいは中道右派の共和党政府を左右から挟んで二種類の大衆蜂起が衝突し、二〇世紀的な統治モデルが解体していくのは歴史の必然です。

他方、中国は中国で、共産党は香港の民主化運動を暴力的に潰そうとしています。そうせざるをえない。台湾に高圧的な姿勢をとるのも、近隣諸国の反対を無視して南シナ海の内海化を進めるのも、共産党権力の弱さ、自信のなさのあらわれと見るべきです。これからしばらく中国資本主義の成長と高度化は続くだろうし、経済力でアメリカを追い越す日も遠くはない。しかしそれが、共産党権力の永続化を保障するわけでありません。中国共産党は中国人にとって最新の王朝で、歴代の王朝は民衆蜂起と農民戦争によって繰り返し倒されてきました。易姓革命ですね。一度王朝ができると二、三〇〇年は続きますが、近代は時間が圧縮されているので一〇〇年がいいところではないか。中華人民共和国が成立してもう七〇年ですから、そろそろ耐用年限に近づいてきて、天命は革《あらた》まろうとしている。共産党権力が、これから何十年も無風で安泰と考えるほうが非現実的です。

▼探偵小説論

笠井 『国家民営化論』を刊行した一九九五年から『例外社会』の雑誌連載をはじめる二〇〇六年まで一〇年ほど、社会思想関係の仕事から遠ざかっていました。わたしが集中していたのは探偵小説論で、なぜかというと探偵小説が二〇世紀小説の一つの典型だと考えたからです。探偵小説という窓から二〇世紀がどういう時代だったのかを考えてみようとした。二〇世紀と世界戦争をめぐる認識も、探偵小説を論じる過程でまとまってきたところがあります。どうして、すでに過ぎた二〇世紀をもっぱら論じて、これからの二一世紀の世界については正面からの主題にしなかったのか。それにも理由がありました。

ソ連が崩壊し、世界戦争が終結したあとの世界がどうなっていくのか、様子を見るしかないと思ったからです。マルクス主義が自己破産を暴露し、ソ連型社会主義の実験が惨憺たる失敗に終わったとしても、資本主義と主権国家と近代世界の問題が自動的に解決するわけではない。マルクス主義が失効したからこそ、それとは違う社会批判の方法が必要だということで、かつてマルクスに否定された古典的自由主義まで遡って考え直してみようと思って、『国家民営化論』を書きました。ロックに依拠した企業の寿命制や遺産相続の廃止、あるいは決闘権の制度化といったアイディアには、いまでも検討に値するものがあると思います。一度は、その原理的深化ということも目指したのですが、あまり気が乗らなかったのでしょう。つまるところ四〇代から五〇代は、探偵小説の窓から二〇世紀の意味を考察する仕事が中心になりました。これは『探偵小説論』の序説およびⅠ部からⅣ部としてまとめました。Ⅳ部だけ未刊行ですが、原稿はできているのでそのうち本になるでしょう。

時代の変化を感じたのは就職氷河期の到来と、若者の生活の不安定化、貧困化が目立ちはじめた頃です。若い友人たちと探偵小説やサブカルチャーの研究会をずっとやっていたのですが、ロスジェネ運動をはじめるメンバーも出てきたりして、身近なところからも時代の潮目が変わったことを痛感しました。そしてサブプライムショックや派遣切り、年越し派遣村の運動などにも触発され、本格的な社会思想書として、腰を据えて『例外社会』を書き始めることになります。

――あれは本当に傑出したお仕事ですね。迂闊にもリアルタイムで読むことを逸してしまったのですが、なぜ新自由主義的な政策があのような勢いで広がっていったか、社会の貧困化と分断化が必然だったか、たいへん説得力のある分析でした。

＊ヴェストファーレン体制　ヨーロッパにおける宗教戦争「三〇年戦争」の講和条約「ヴェストファーレン条約」に由来する国際的な体制。一六四八年に成立。ヨーロッパの勢力均衡体制で、主権国家体制ともいわれる。

第2章

戦後社会の欺瞞と没落する「中流」

▼「本土決戦」のやり直しと連合赤軍事件

――この辺で日本の戦後社会論について話題を移させていただきます。戦後日本を特徴づけるときの、笠井さんのキーワードが「不徹底な終戦」です。その結果、「半国家」に甘んじるほかはなかったのであり、徹底的に敗北するための「本土決戦」が必要ではないかという提言が、笠井戦後論の基本的な骨格ではないかと思います。三島由紀夫の決起行動、連合赤軍の武装闘争に「本土決戦」のモチーフを見ておられますが、現在の日本にあって、「本土決戦」あるいは「敗戦」をなしとげるためには、具体的に、何をどうすればよいのか。この点について思うところを、あるいは笠井さんの展望といったものを述べていただけないかというのがさしあたっての問いになります。

そのあと、加藤典洋さんの戦後論批判といったものに触れていただければと思います。加藤さんは、現在の日米安保条約や地位協定といったものの下で、日本がどん詰まり状態になっている、どうやってここから出られるか。日米関係の改善をこころみるべき提言を、『戦後入門』や『9条入門』でされました。安保、天皇、沖縄、平和憲法、この四すくみ状態をどう解くかということですね。この四すくみ状態は、敗戦後の体制が必然的に生み出したものと考えられるのですが、笠井さんは、この四すくみ状態についてどうお考えになっておられるか。「沖縄」の問題を含め、この出口なし状態をどう解消し、どう脱却するか、といった点についてお話しいただければと思います。

笠井潔　さきほど、小学生のとき『丸』を購読していたという話をしましたが、なぜ日本の戦争指導部がこんなにも無能だったのかと、中学生くらいから折に触れて考えていました。高校一年のときに近所の古本屋で新書版の坂口安吾『堕落論』を見つけ、たまたま読んでみました。あの本は捨てていませんから、いまでも書庫の奥にあるはずです。一読して、目からうろこが落ちました。8・15というのは支配層と日本民衆の合作で、天皇を利用して自分たちが延命するための猿芝居だった。われわれ日本人は天皇を利用することに長年長けていて、天皇が止めろというから、我々は止めたくなかったけれど、天皇のために止めることにしたんだ、そういうことにして戦争を終わりにした。しかし命惜しさの自己欺瞞はだめで、安吾は徹底的に「堕落せよ」という。安吾のいう堕落とは、中途半端に延命した日本人に、もちろん自分を含めて、戦後社会でも自前の「本土決戦」をやり抜け、ということです。

いよいよ本土決戦が近づいてきて、まもなく米軍が上陸してくるという事態を前にして、友人たちのほとんどは東京を去った。しかし安吾は九州に疎開した大井広介邸の防空壕に踏みとどまり、米軍の戦車で東京が蹂躙される光景を見届けながら死んでやろうと心に決めていたんですね。「続戦争と一人の女」という短篇小説の女主人公は、安吾好みの「淪落の女」ですが、最後に「もう戦争がなくなつたから、私がバクダンになるよりほかに手がないのよ」という。これは安吾自身の率直な気持ちだったでしょう。

中学生、高校生のときにそういうことを考えていて、新左翼運動に参加し、連合赤軍事件や東アジア反日武装戦線〈狼〉の事件に出くわして、その思想的衝撃の意味を考えようと『テロルの現象学』を書きました。あるときフランス人の「六八年」世代と話をしていて、ドイツやイタリアの新左翼は都市ゲリラ闘争まで突き進んで燃え尽きたのに、どうしてフランスの同世代は適当なところでやめにした、やめにできたのかと問い質したところ、イタリアやドイツや日本は枢軸側の旧ファシズム国で民主主義が定着していないから、そういう無謀なことをやるんだろうと答えていました。なるほどねと思いながら、いささか複雑な気分になったことを覚えています。

アメリカにはウェザーマンというSDSの極左グループが爆弾闘争を始めるんですが、すぐに止めてしまいました。アメリカの「六八年」の暴力化は、人民寺院のような宗教カルトに集中していた。旧連合国で安保理常任理事国のアメリカやフランスやイギリスの新左翼とは違って、都市ゲリラ闘争で資本家を誘拐したり、政府高官を暗殺したのは第二次大戦の敗戦国ドイツとイタリアの新左翼過激派でした。日本でも連合赤軍が武装闘争をはじめようとして、その前に自滅してしまう。西ドイツ赤軍やイタリアの「赤い旅団」を見ていると、その闘争の苛酷性、残忍性、徹底性は生半可ではないのですが、非合法活動ではしばしば発生するスパイや逃亡者の粛正、処刑はやっていません。誘拐した経営者や政府高官は人民裁判と称して平然と殺害していても、仲間は殺していない。また銃や爆弾は使っても、〈狼〉のような無差別爆弾テロは起こしていない。

日本は、ドイツやイタリアに比べると生半可なことしかしていないのに、どうして仲間殺しや無差別テロというような、どう見ても肯定も擁護もできない袋小路に行き着いてしまったのか。それについて考えることが、日本の「六八年」世代に課せられた逃れられない思想的義務だと思ったのです。

第二次大戦でドイツは徹底的に「負け」ている。日本風にいえば本土決戦を敢行し、ベルリンが陥落しヒトラーが自殺するまで戦争を続けた。徹底的に負けるということは、そこで負の歴史を意志的に断ち切ることを意味します。結果として戦後ドイツは、無から誕生したかのように自己規定し、そのように振る舞うこともできた。ようするに国是として過去の侵略戦争を否定し、被害者に謝罪しても、国家としてのアイデンティティは揺るがない。だからナチに関連するものは表現の自由の対象にはならない、というくらい徹底できる。

イタリアは支配層が分裂して、国王派がムソリーニを排除したという事情があるにしても、共産党を中心としたレジスタンスが連合軍の侵攻に呼応して武装闘争を始め、北部イタリアでは内戦状態になる。レジスタンスがムソリーニの屍体を路上にさらして、半ば敗戦革命でファシズム体制を倒しました。

日本人はドイツ人と違って本土決戦は放棄し、イタリア人のように敗戦革命も起こさないまま、勤労動員中だった吉本隆明青年が目にしたように、軍の物資を雑嚢に詰め込んで黙々と、あるいは喜々として故郷に帰っていった。日本人というのは何という国民なのか、そう吉本さんは思ったようです。このエッセイを読んだのは『堕落論』のあとのことですが、同じことが書かれていると思いました。ドイツでも、ある程度はイタリアでも、親たちの世代の不徹底性と自己欺瞞性への嫌悪感が、青年たちを極左的な暴力的行動に押し出していきます。この場合は戦争責任の問題ですね。最後まで戦ったとしても、それで戦時中の残虐行為や戦争犯罪が消えるわけではない。それなのに政体の断絶を言い訳にして、自分たちの戦争責任は不問に付している。それが許せない、という親世代への拭いがたい不信です。

日本の「六八年」世代がドイツの同世代と違ったのは、親たちの思想的不徹底性と退廃がさらに痛切に感じられた点でした。なにしろ本土決戦さえやらないで、天皇を担いで一目散に逃げ出したわけだから。親たちの世代が自己保身から不徹底な「終戦」に逃げ込み、悪かったのは軍閥や戦争指導部で、自分たち一般国民は軍国主義と侵略戦争の被害者だと居直っている。その結果の平和で豊かな戦後民主主義社会には、どこか根本のところで倫理的な欠落や空白があって、そのため自分たちは生の不全感を抱えこんで苦しんでいる。この空虚感を埋めて本当に生きるためには、親世代が自己保身的に放棄した本土決戦を再開し、最後までやりぬくことだ……。

▼「革命戦争」の行方

笠井　一九六九年の春、赤軍派が「この秋に武装蜂起し、革命戦争をはじめる」といいはじめ、活動家のあいだに衝撃が走りました。武装蜂起型のロシア革命でも中国型の人民戦争でも、かたちは違うにしてもボリシェヴィキ革命という点は同じです。しかし「革命戦争」という言葉には、たんなる革命とは違う新鮮さ、圧倒されるような輝き、ラカンの言葉で言えば「享楽」の予感のようなものが感じられた。その時点ではよくわからなかったのですが、あとから納得できたのは、革命戦争という「戦争」の呼びかけが、自前の「本土決戦」を再開しなければならない、「私がバクダンになるよりほかに手がない」という全共闘世代の無意識の衝迫と響き合ったらしいことでした。

ここまでは同世代のドイツ人とよく似ています。元枢軸国の「六八年」には、遅れてきた思想的戦争総括、思想的戦後処理という側面が無視できません。しかし、ここでドイツと日本の極左青年の道は分かれました。一方は、最終的には敗北したとはいえ、革命戦争の道を貫いて壊滅します。しかし日本では連合赤軍事件でした。たとえ誤った路線だったとしても、それを最後までまっとうするなら、次の世代がやり直すことは可能です。実際ドイツでは、バーダー・マインホフ派が壊滅したあとも、その批判を前提として反原発運動などの新しい社会運動が持続されていく。ところが日本では、革命戦争を始める前に自滅して、後続世代に負の遺産を残すことしかできませんでした。だったら、連合赤軍など出てこなければよかったのか。いいや、そうともいえません。連合赤軍の無残な敗北は、少なくとも戦後社会と戦後精神の根深い否定性を明るみに出した。連合赤軍事件が存在しない架空の日本社会は、おのれの思想的空虚、倫理的空虚に直面する機会さえ奪われていたに違いないから。

西ドイツ赤軍と連合赤軍のこの違いは、どこから生じてきたのか。ひとつは軍事や戦争、たとえば銃器の操作という具体的な点でも、日本とドイツの戦後世代には大きな違いがありました。ドイツに限らずアメリカやフランスでも、その当時は徴兵制が敷かれていて、多くの若者は軍隊を経験していた。アメリカはヴェトナム戦争の最中だし、西ドイツも冷戦の最前線基地として臨戦態勢が敷かれていたのです。それらと比較して、戦後日本はどう見ても特殊でした。軍事や戦争にまつわるもろもろは、見えない場所に押しこめられていて、人々は安保体制下の「平和」を享受していた。本土決戦から逃げ出したという「恥」を隠蔽するため、戦争にまつわるすべてに蓋をして、ないことにしてしまおうというのが暗黙の国民的合意だったのです。

軍事的星菫《せいきん》派とでもいえる連合赤軍の空疎な銃ロマンティシズムは、メンバーの誰一人として軍隊経験はなく、銃を持ったことも触ったこともないという、戦争にかんして無菌状態で育てられてきた戦後日本の若者の特殊性に由来します。軍事や戦争の問題が市民社会で常識化、日常化されていたドイツと、それと正反対の「平和」な戦後日本。この点が、西ドイツ赤軍と連合赤軍の決定的な違いでした。だから敵を殺す前に味方を殺してしまう。あるいは〈狼〉のように、闘争の正義性にとって致命的な無差別爆弾テロを引き起こしてしまう。その当時は、赤軍派の国際根拠地論を空論的だと批判しましたが、いまでは日本赤軍の活動には意味があったと思います。戦後日本人でも戦争無菌状態の日本を出て、必要な訓練と条件さえ与えられるなら、国際常識的な水準の軍事闘争は可能であることを証明した点で。市民革命による抵抗権や革命権は、いうまでもなく市民が武装闘争、軍事闘争も辞さない覚悟を前提としています。

加藤典洋のいう安保、天皇、沖縄、平和憲法という四つの難問は、「天皇」を担いで本土決戦から逃亡し、「沖縄」を売り渡して「安保」による属国化を甘受し、その上で九条「平和」主義のもと繁栄を謳歌してきた戦後日本の問題性に他なりません。という点では問題は少しも「ねじれ」ていないわけで、原因は本土決戦を最後まで戦わなかった、戦えなかったところにある。したがって、その解決は戦後日本で自前の本土決戦を戦い抜くことにしかない。中学生の時そう思い、「六八年」学生運動のときにそう思い、いまもそう思っています。

▼二一世紀の「本土決戦」

笠井　いまでも「本土決戦」が必要だと考えていますが、文字通りの反米本土決戦に現実性はない。それにいちばん近いことをやろうとしたのは、三島由紀夫のクーデタ計画と自決のパフォーマンスでしょう。赤軍派のように、かつての本土決戦を革命戦争で代替するのも、有効性がない点は同じ。では、二一世紀の本土決戦の現実形態はどんなものなのか。移民を無制限に入れることだと考えます。もう来なくなるまで入れる。二千万人くらい入れる。移民志願者にとって、もう日本に行ってもいいことはないという状態になれば、誰も来なくなりますね。このままでは、放っておいても誰も来ないようになります。給料は安いし、職場でのいじめはひどいし、差別はひどいし、日本よりも台湾や韓国のほうが出稼ぎや移民労働者としての条件はよほどましだ、そういうことになろうとしている。時間はそれほど残っていません、まだ日本で働きたい、日本に住みたいという外国人がいるうちに、国境を全面的に開放すること。

そうなると市民社会のいたるところで、隣近所のレヴェルでも言葉の通じない外国人と否応なく付き合わなければならなくなる。ごみの捨て方を教えるということから始めて、さまざまなコミュニケーションの努力が求められるでしょう。先日亡くなったデヴィット・グレーバーというアナキスト理論家がいうように、国家の統治形態ではない本物の民主主義は、さまざまな国や地域から吹き寄せられてきた、難民のような人々が否応なく共同で生活する場所、先住民と移民が雑居していたニューイングランドや、カリブ海の海賊共同体のようなところで生まれます。

当然摩擦は起きるだろうし、排外主義はヨーロッパ並みに過激化、暴力化していくでしょう。在特会やネトウヨの趣味的で生ぬるい排外主義ではなく、移民が俺たちの仕事を奪っているという危機感から生じる、アメリカやヨーロッパのような本物の排外主義。ヘイトスピーチだけでなく移民を襲ったり殺したりするヘイト犯罪が多発し始めたとき、それを実力で阻止するために闘うことこそ、わたしが考える二一世紀の本土決戦です。

自民党政府は農協や財界の要求に応じて、外国人労働者を入れるための蛇口を少しずつ緩めはじめました。蛇口を緩めながら、他方で入管体制の反人権的な暴力的強化を進めています。その話はまた別にしたいのですが、たったいまも外国人労働者との連帯、入管体制を打破する闘争は避けられない課題です。

――相当数の移民を受け入れることになると、さまざまな混乱が予想されます。いまでも入管の一部では相当ひどいことになっているようですし、技能実習生として迎えておきながらクビにしてしまい、給料は払わない、お金がないから帰国できないどころか生活もままならない人がいるとか、小学校で子どもたちも差別され、こともあろうに校長が率先して排外的・差別的な対応をしていたとか、ときどき信じがたいことが報じられます。『8・15と3・11　戦後史の死角』のなかで、笠井さんは「ニッポン・イデオロギー」という言い方をされていますが、この現状を打開するのは相当手ごわいと思います。貧困化と格差化が進行して以来、ますます排外主義的な「ニッポン・イデオロギー」への自足状態が進んでいるように感じられるのですが、このあたりの問題についてはいかがですか。

笠井　大衆蜂起で軍事独裁政権や権威主義政権を打倒した政治経験を、韓国や台湾など東アジアの若い世代は身体的に蓄積してきている。中国共産党という敵が巨大すぎて、簡単には勝利の展望がつかめない香港にしても、蓄積された闘争経験は消えません。日本に市民革命がなかったという議論が、昔からあるじゃないですか。丸山眞男の時代から、あるいは戦前の日本資本主義論争の時代から。しかし韓国と台湾では、すでに市民革命は達成されています。大衆蜂起によって権威主義政権を倒して民主化を達成したわけですから。東アジアの近隣諸国でも、世界的なレベルでも大規模な大衆蜂起がいたるところで起きているのに、日本は取り残されているようです。

その原因としては、「六八年」の終わり方が否定的にすぎたこともありますが、それ以上に経済的な問題が無視できません。『１９６８』の小熊英二のようなラディカル拒否症の硬直的なリベラル派は、もっぱら前者ばかり言い立てますが、要因としては後者のほうが大きい。第二次大戦後の高度経済成長は米欧日に共通するとしても、オイルショック以降の道は分かれました。一九七〇年代から八〇年代まで、欧米は深刻な長期不況と失業率の高止まりに苦しみ続けます。アメリカ経済の復活は、ニューエコノミーが喧伝される一九九〇年代からでした。しかし日本一国だけがオイルショック以降の二〇年、バブル崩壊まで未曾有の繁栄を享受し続ける。どうしてそうなったのか、その理由も『例外社会』で論じています。

欧米の青年たちが生存するためにも闘わざるをえなかった二〇年間、幸か不幸か日本の若者には闘う必要などなかった。日本史上空前で、ほとんど確実に絶後となるだろう未曽有の繁栄に酔いしれているうちに、社会運動は低迷し、運動のためのスキルの伝承も途絶えてしまいます。闘いたくてもやり方がわからない、運動史の知識もない、共通の困難について話し合う場所さえないという、そういう否定的な条件を若い世代は負わされている。

これでは権威主義政権を実力で打倒した近隣諸国の若者と、話は通じないですよ。こうしたもろもろが、本土決戦に日和見を決め込んで国民的に延命したことの否定的な結果なんです。

▼戦後問題と沖縄をどう考えるか

笠井　アジアへの戦争責任を主体的に引き受け、戦争被害者に真に謝罪できるようになるためには、まず国内の思想的分裂を解消しなければならない。われわれは日本人の戦争犠牲者を裏切ることで戦後の平和を手に入れたわけだから、その人たちを正当に追悼できるようにならなければ、アジアの戦争犠牲者を真に悼むことはできないし、アジアとの真の和解も不可能だというのが、加藤さんの『敗戦後論』の主張ですね。加藤典洋と高橋哲哉の論争では、少なくとも戦後日本の非本来性を自分の問題として考えようとしていた加藤さんを支持しましたが、それでもアジア対日本、アジアが先か日本が先か、というような問いのかたちでは、戦後日本が抱え込んでいる精神的な困難は解決できないと考えていました。この辺のことは『探偵小説論Ⅲ　昭和の死』で詳論しています。

そもそもアジア解放のために戦争を始めたと言っていたわけだから、その戦争を途中で止めたことで、われわれはアジアを裏切ったのです。われわれはたんにアジアに戦争をしかけ、加害者になったわけではない。ある意味で、もっと許されない裏切りを犯していた。アジア解放の理念を裏切り足蹴にすることで。「大東亜共栄圏」から「自由と民主主義」に乗り移ったことで、戦後日本人は戦死者を裏切っていると、加藤さんはいいます。しかし、アジア解放の理念とともに裏切ったアジア民衆のことは見ていません。もちろん、そうした戦争イデオロギーは虚偽にすぎない、あの戦争は帝国主義戦争にすぎないという見方はある。しかし、理屈と実際の分裂を一元化するには二種類の方法があります。第一は理屈を実際に合わせること、第二は理屈に実際を合わせることです。不平等条約を「改正」し、ヨーロッパ公法秩序の新規メンバーとして最後の帝国主義国になることを選んでしまったわれわれは、歯を食いしばっても理屈に実際を合わせなければならなかった。明治国家の内側から日本人がまっとうさを取り戻すには、それ以外に道はなかったからです。

戦死者の七割以上は餓死者と病死者です。世界に類を見ない愚昧と、無責任の極みとしかいえない妄想的な作戦を立てた大本営の参謀たちのほとんどが、戦後になって畳の上で死んでいる。戦死者を真に弔うとしたら、このような戦争指導者に責任を取らせるべきでした。さらに進んで、そうしたタイプを必然的に生み出し続ける「ニッポン・イデオロギー」を葬ることです。「考えたくないことは考えない、考えなくてもみんなで頑張ればなんとかなる」と要約しましたが、この精神がアジア太平洋戦争とそのデタラメな敗北をもたらし、さらに福島原発事故をもたらしたことは『8・15と3・11』で論じた通りです。

戦争犠牲者を裏切って生き延びたことが、戦後日本にゆがみを生じさせているという認識は加藤さんと変わりません。であるなら本土決戦を引き継いでやり直すべきではないかというのが、はじめて『堕落論』を読んだときからの発想ですが、加藤さんは裏切った戦死者に対してどう向き合うべきか、それが問題だという。そこに大きな分岐がありました。自分が戦死者なら、哀悼の意を捧げられるよりも先に、デタラメな戦争指導部を罰すること、その根拠であるニッポン・イデオロギーの克服を求めるでしょう。またアジア人に対しての謝罪は、戦争犯罪行為の謝罪はもちろんですが、欧米以外で最初のヨーロッパ公法国として、列強を真似してアジア侵略に乗り出したこと、「アジア解放」の理念を裏切って侵略の口実に貶めたことを謝罪しなければなりません。加藤さんが『敗戦後論』の次に書いた『戦後的思考』のなかで、『敗戦後論』に対する笠井の批判はもっとも踏み込んだところからなされた批判で、そのうちきちんと答えようと思うと書いていましたが、答えてくれる前に死んでしまいました。それがいまでも残念です。

――そうすると笠井さんにとっては、憲法や沖縄の問題、日米安保条約や地位協定の問題を考える前に、「敗戦」ではなく「終戦」と言い換えてここまで来ているそのありかたを、まずは考えなくてはならない。そういうことになるのでしょうか。

笠井　沖縄の問題に関していうと、サンフランシスコ条約の結果、沖縄はアメリカに売り渡されて軍事植民地化され、本土復帰後も米軍基地の重圧から解放されない状態が続いてきました。サンフランシスコ条約第三条によって奄美・沖縄の軍事占領の延長が決定された事態を指して「第二次琉球処分」というように、沖縄の苦難はそれ以前から続いていた。第一次琉球処分によって沖縄は、北海道と同じく日本の国内植民地になることを強制されたのです。その後のアジア侵略に先行して、沖縄と北海道への侵略と併合が強行されたわけで、問題は明治の最初期を起点としている。「野蛮国」として不平等条約を押し付けられた日本が、なんとかして「文明国」の側に、植民地領有国の側に廻ろうとした、その出発点が琉球処分でした。

琉球処分の延長に台湾の植民地化が、さらに日韓併合がなされ、満州侵略からアジア太平洋戦争に進んでいくという歴史があります。このように日本近代史でもっとも影の濃い地域、最大の被害地域として沖縄はある。だから、根本的には明治以来の日本近代の意味や、二一世紀の世界内戦下の日本ということを合わせて考えていかないと、沖縄の問題には解答のしようがないと思います。基地負担を軽減するとか、当面できることは当然やるべきですが、としても「世界国家なき世界社会」という構想のなかでしか、沖縄の最終的な解放を考えることはできません。

▼ゆるやかな東アジア海洋連邦構想

笠井　近代世界の抑圧構造を総体として乗り越えていくためにはどうしたらいいか。この点では、第二次大戦後の植民地独立運動は一大転機でした。欧米や日本という公法諸国が、世界を分割し暴力的に植民地支配する近代世界の基本構造が大きく揺らいで、第二次大戦後には植民地独立の大波が到来します。

そのとき色々と理由があったにしても、植民地の人々が自前の主権国家を獲得するというヴィジョンしか持ち得なかったのは、解放運動の致命的な弱さ、理念的限界性だったといわざるをえません。そのため訪れた危機は解消され、近代世界秩序は再編され再建されてしまった。共産党主導で建国された中国であろうと、国民会議が主導したインドであろうと、あるいはエジプト、インドネシアなどの他のバンドン諸国であろうと問題は変わりません。伝統的に王朝国家が存在した地域はともかく、植民地主義が恣意的に国境線を引いただけのアフリカや中東の諸地域も、形式だけの主権国家として独立し国連に加盟していく。

問題は植民地からの解放が、ナショナリズムを推進力にした点にあります。国民国家の公認イデオロギーがナショナリズムですが、これは排外主義、差別主義を本質とするイデオロギーといわざるをえない。ナショナリズムによる民族独立、主権国家の樹立という方向性しか持ちえない運動の否定的な帰結は、昨日まで一緒にアメリカの侵略と戦ってきたカンボジアとヴェトナムが、そしてヴェトナムと中国が、解放闘争に勝利した直後から社会主義国家間戦争をはじめるという、一九七〇年代の暗澹たる歴史的経験が明瞭に示しています。

わたしは韓国の民主化闘争を基本的に支持しますが、運動圏に見られる攻撃的なナショナリズムには批判的です。一九八〇年代の韓国学生運動では、民族派のNL派と階級派のPD派が対立し、北朝鮮を支持する前者が主流でした。文在寅政権にはNL派出身の政治家も多く、思想体質的にナショナリズム過剰の傾向が無視できません。民族的な被害体験が攻撃的なナショナリズムに転化していく典型的な事例を、イスラエルに見ることができます。ガザ地区を巨大な強制収容所に変えたイスラエルは、民族的な被害体験を反復している、ただし今度はユダヤ人が加害者として。正義記憶連帯（旧挺対協）など韓国ナショナリズムの一部には、それに通じるような危うさが感じられます。しかし、たとえばフェミニズムの勃興にも見られるように、運動主体は多様化しはじめているし、硬直したナショナリズムの罠からも韓国の社会運動は徐々に解放されてきました。若い世代による下からの、こうした新しい動きに期待したいと思います。

いま香港では、雨傘革命以来の民主化運動が強権的に潰されようとしています。しかし香港が中国から独立して主権国家になろうとしても、あの規模では現実性がありません。そもそも水源がないわけで、自然条件としても大陸と切れることはできない都市ですから。それでも香港ナショナリズムを背景に、シンガポールのような都市国家を目指すという勢力「本土派」も一部存在はしますが、それではだめだろうと思います。そもそもシンガポールは、「明るい北朝鮮」ともいわれる新自由主義の地獄の典型のような国です。中国の圧政から解放されても、シンガポールのような権威主義国家に抑圧されるとしたら、香港民衆の民主化闘争はなんだったのかということになりかねません。では台湾はどうかというと、台湾くらいのサイズであれば主権国家として充分やっていけるとしても、中国との関係を考えれば、独立国家として国連に加入することは難しい。

沖縄にも香港や台湾と条件的に似たところがあります。日本への強制的編入、サンフランシスコ条約でのアメリカへの売り渡し、そして基地付き本土復帰という三次にわたる琉球処分に異を唱えることなく、日本国の一県に留まろうとすれば、基地問題の根本的解決は不可能でしょう。また主権国家として独立するような展望もない。これは植民地化や従属からの解放の道が、ナショナリズムによる主権国家の樹立しかないとする限り、きわめて困難な条件、圧倒的に不利な条件です。しかし発想を変えて、それだからこそこれまでとは違う新しい可能性があると、肯定的に考えることはできないだろうか。自前の主権国家を立ち上げるところには解放闘争の着地点を設定できないという、ナショナリズムの観点からすれば不利な条件にこそ、未来に通じる可能性がある。いずれも新たな抑圧に帰結した、バンドン会議諸国の民族独立路線とも、中国やヴェトナムの民族解放路線とも違う、それらの不徹底と限界性を超えていく可能性です。

たとえば、香港、台湾、沖縄の三地域が、ゆるやかな東アジア海洋連邦を形成するという構想はどうか。もちろん簡単ではないとしても、とりあえずは民間的な交流の中でヴィジョンを育て、主権国家のせめぎ合いという、近代世界秩序とは違うイメージを共有するところから始めることは考えられないか。東アジア海洋連邦に日本が丸ごと入るのは、規模が大きすぎて問題がある。県の単位くらいで分離して、頼んで入れてもらえるなら入るのがいい。同じことは世界各地で試みることができます。スコットランドやカタルーニャが、ミニ主権国家を目指しても未来はない。主権国家を下から解体していく展望こそ、世界各地の分離独立運動に新たな可能性をもたらします。

沖縄にとって解決すべきは、米軍基地の問題に留まりません。それは第二次と第三次の琉球処分から生じた問題に過ぎない。近代世界の形成の根幹にかかわる第一次琉球処分にまで遡って考えなければ、米軍基地の撤去さえ難しい。仮に米軍が撤退しても、自衛隊や中国軍に入れ替わるだけということにもなりかねません。

——東アジア海洋連邦という緩やかなつながりというのは、わたしもまったく賛成です。松島泰勝さんは沖縄問題の、とくに独立論とか、沖縄自立論とか、そういう研究をしている学者ですが、やはり今言われたような小さな島嶼からなるゆるやかな海洋連邦を提案しています。海洋交易圏として考えたとき、沖縄はベストポジションです。東南アジアにも伸びているし、日本、朝鮮半島、中国といった交易圏の中心に位置しています。実際、沖縄県も交易を中心とした交流を深めることで、日本に対する依存性を少しずつ解消しようと試みを始めているようです。昔の「琉球独立論」は居酒屋独立論と揶揄的に言われていますが、それはありえないでしょうから、いま言われたようなヤポネシアの海洋連邦プランは、すごくいいと思います。

笠井　沖縄独立論が非現実的だったのは、沖縄を主権国家にしようという発想だからですね。沖縄ナショナリズムの立場から日帝に民族独立を要求するというような、二〇世紀の植民地解放運動の論理はすでに破綻している。多大の犠牲を払い、大量の血を流して独立を達成したところで、民衆の解放には繋がらないという事例は、インドシナをはじめ世界のいたるところに見られます。

で、ご質問の件ですが、国連に依拠して対米自立を進め、沖縄基地の撤去をめざすという加藤プランにたいしては、以上のような反論というか、別のプランで応じたいと考えます。こうした問題領域で加藤さんと発想が大きくずれていく出発点には、大戦間からの国際平和主義や集団安全保障、あるいは国際連合への評価の違いがある。そして、その背景には世界戦争の捉え方の違いがある。加藤さんは『アメリカの影』で、アメリカの無条件降伏要求について論じました。あるいは近衛内閣の「蔣政権を対手とせず」声明についても。いずれも二〇世紀戦争が、対戦国の「死」を求める絶対戦争であることの典型的な事例です。ここから世界国家析出運動としての世界戦争という観点までは、あと一歩のはずでしたが、加藤さんが違う方向に進んでしまったのは残念です。われわれ二人の戦争論のいずれが説得的であるかは、読者の判断に委ねたいと思います。……残るのは天皇と憲法ですか。

始めたことは最後までやらなければならない。本土決戦を最後まで戦うということは、実際には徹底的な敗北を引き受けるということですね。本来、天皇制はそれで滅んでいたはずで、まだ存続しているという事実そのものが、戦後日本の非本来性の証明のようなものです。フランスの第三共和政のようなブルジョワ共和主義の立場から、君主制＝天皇制の廃止を主張しているのではありません。その点からすれば、立憲君主制も共和制も大同小異です。本土決戦の二一世紀的形態として、日本列島に二千万の移民を受け入れ、彼らとの共存を選ぶとしましょう。その場合も一九四五年の本土決戦と同じことで、天皇制は消滅するでしょう。日本列島の農民たちに、千数百年にわたって「稲の王」として君臨してきた天皇を、膨大な数のニューカマーが、オールドカマーと同じように崇拝するわけがありませんから。いずれにしても「本土決戦」だけが、天皇制にまつわる問題に決着をつけます。その場合、弥生時代以来のオールドカマーの天皇教信者は、伊勢神宮にでも引っ込んだ天皇家を支えていけばよろしい。パリ市より広い伊勢神宮の敷地を独立させて、天皇国にしたいというのなら、反対しません。ヴァチカン市国より広い国になります。

憲法については、すでにおわかりかと思いますが、平和憲法もへったくれもないというのがわたしの基本的な立場です。国家権力が暴走しないように繋いでおく必要がある、その杭だかロープが憲法だとします。こうした憲法観に立つリベラル派は、そもそも主権権力の存在を疑うことなく容認している。しかし、主権権力なしでわれわれはやっていけるし、そうするべきだ。だから立憲主義ではないのです。暴走する国家はいらないし、したがって憲法もいらない。加藤典洋や竹田青嗣をはじめ、「六八年」に全共闘派だった同世代には思想的に近しいものを感じていたのですが、一九九〇代に入る頃から相違点を意識するようになりました。この二人を含めて元全共闘活動家の大半はリベラル化し、国家の存在を前提に、国家の範囲内でものを考えるようになっていく。戦後民主主義批判どころか天皇制批判まで忘れ果て、明仁前天皇を賞讃した元新左翼も珍しくありません。国家の主権権力に対抗するスチューデントパワー、学生の自己権力という、われわれが共有していたはずの全共闘時代の初心を、同世代のほとんどは放棄したようです。

▼「国家の存在は認めない」――リベラリストとラディカリスト

笠井　どんなに小規模でも、全共闘運動もまた大衆蜂起の自己組織化の運動でした。言い換えれば評議会運動、コミューン運動。それは主権権力を下から解体し、民衆の自己権力に置き換えていく運動です。ですから、全共闘体験者のリベラル化は変節のように見えました。加藤と竹田は一九八〇年代の消費社会に対応した「狼のロマンティズム」を自任していて、いまどき全共闘や六〇年代ラディカリズムに拘っている笠井は「羊のロマンティズム」の徒として見えていたようですが。

わたしは全共闘時代にルカーチ主義のコミュニストでした。連合赤軍事件や『収容所群島』の体験からボリシェヴィズムは放棄し、マルクス主義批判に転じましたが、ラディカルであることをやめたつもりはありません。だからリベラリストとは立場が違います。リベラルというのは主権国家、主権権力は否定できないものとして前提にしたうえで、そこから自由の領域を少しずつ拡大していこうという立場です。それは夜警国家論の古典的リベラリストもそうだし、いまの左翼リベラルもそうだし、右翼リベラルであるネオリベも同じ。それぞれ自由の意味するところは異なるとしても、主権国家や主権権力の存在は否定できないとする点で変わりません。

ラディカリストが求めるのはリベラル、リバティとしての自由ではなくフリーダムです。日本語にしてしまうと同じ「自由」ですが、リバティとフリーダムの違いについてはハンナ・アレントが『革命論』で論じています。どう違うかというと、フリーダムは権力と関係がないのです。権力に関係した、権力からの相対的な自由ではなく、権力とは無関係である自由、いわば絶対的自由です。「六八年」のアメリカではフリーダム、フリーという言葉がよく使われていました。「フリースクール」から「フリーセックス」まで。フリーセックスは性的抑圧に対する反乱で、そこから新しい女性解放運動としてのウーマンリブ、第二次フェミニズムも生じてきた。

高速道路のことをアメリカではフリーウェイと言いますね。リバティなウェイではなく、フリーなウェイ。なぜフリーなのか、誰のものでもないからフリーなのです。誰かの所有物であれば、使用料を払わなくてはいけない。誰のものでもなく、みんなのものだから金を払う必要はない。フリーウェイは高速道路でもタダですからね。スピード制限がないからフリーウェイなのではなく、無料だからフリーウェイ。だから荒井由実の「中央フリーウェイ」には誤解があるのです。いうまでもなく中央道は有料だから。高速道路は道路公団の、最終的には国の所有物ということになりますが、道路のような公共財には国家と私有財産制以前の共有地や共有財、みんなのものとしてのコモンズの記憶が宿っています。

国家が社会の全体を仕切ることは認めた上で、その余白に相対的な自由の領域を確保しようというのがリベラリズム。フリーダミズムという言葉はないんですが、強いていえばフリー主義、それがコミューン主義としてのコミュニズムの意味するところです。リバティとフリーダム、新自由主義の「自由」とコミューン主義的な「自由」の対抗関係については、『新版テロルの現象学』に寄せた補論で論じました。

第三インターが結成されるとき、党派独裁のボリシェヴィズムがコミュニズムを僭称したせいで、とりわけ日本語の共産主義という言葉には、フリーダムの開放性や解放性とは縁遠い語感がある。もともとコミュニズムとは、フランス大革命の民衆蜂起から出てきた言葉で、同じ左派でも議会のジャコバン派に対立する路上のサンキュロットのものです。それを引き継いだバブーフ、ブランキという系譜の革命主義が一九世紀のフランスではコミュニズムと呼ばれていた。ついでにいっておけば、一時はソ連の国歌だった「インターナショナルの歌」もパリ・コミューンの活動家が作ったわけで、マルクス主義者のものではありません。

とはいえコミュニズムもインターナショナルの歌も、二〇世紀マルクス主義というコミューン革命の敵対者に盗まれてしまい、いまでは悪印象しかありません。だからわたしも、長いことコミュニストと称するのは控えていたのですが、ほとんどの全共闘派がリベラル化し、シールズのような若い世代も立憲主義を標榜しているいま、主権権力とその国際秩序の総体を超えていくラディカリズムが求められているのではないだろうか。コミュニズムに代わる言葉として、フリーダミズムという新語を提案します。日本語にすれば自由主義ですが、相対的自由のリベラリズムではない絶対自由主義。

英語圏ではリバタリアン、スペインではリベルタリオと呼ばれてきた絶対自由主義は、長いことアナキズムと同義でした。さきほど触れたグレーバーには、『民主主義の非西洋起源について』という本があります。『負債論』のような大著ではない、すぐに読める短い本です。ここでの民主主義論には七、八割がた同意できます。わたし自身は民主主義という言葉でなく、コミューン的な自己権力という言葉を優先して使いますが、語源的な意味は同じです。民主主義とは民衆（デモス）の権力（クラトス）ですから。とするとわたしはグレーバーに、ひいては一九九四年のサパティスタ蜂起と二〇〇〇年のシアトル蜂起を二つの原点とする二一世紀アナキズムに、思想的に近いのでしょうか。そうともいえません。交換、市場、貨幣にかんする問題ではグレーバーやモース派のアナキストと意見が違っていて、この相違は大きい気もします。また「資本主義を基軸とし帝国主義を上部構造とする近代世界」総体の歴史的変革の構想や、二一世紀の例外社会と世界内戦をめぐる把握についても。

コモンズの思想は、たとえばマルクス主義者のアントニオ・ネグリも語っているし、最近では「ザスーリッチ書簡」のマルクスがコモンズ評価の先駆者だと言い張る歴史偽造の輩さえ目に付きます。フリーダムやコモンズについては、二〇世紀マルクス主義がめちゃくちゃに破壊した民衆運動や社会運動が再生する過程で、あちこちから語られ始めたものといえるでしょう。こうした立場からすれば、立憲主義がどうの平和憲法がどうのというのは、そもそも原理的ではない、副次的な問題に拘泥しているようにしか思えません。

――それは吉本さんが一時言っていた国家をひらくとか、国の仕事は町内会の役員のように当番制でやれるようにする、そうなるのがいいんだといって、国家のもつ権威性や宗教性をどんどん解体していく、そういう立場というか、考え方と近いところがあるわけですか。

笠井　吉本さんが「国家をひらけ」といったのは、レーニンの『国家と革命』を念頭に置いていたように記憶しています。その限りでは正しいことを書いているんだけれども、レーニンが実際にやったことは『国家と革命』とは正反対ですね。けっきょくレーニンは、マルクス的な国家主義を徹底化して収容所国家を築いていくことになる。ボリシェヴィキの党派権力でソヴィエト運動を暴力的に潰していくわけです。クロンシュタット・ソヴィエトの弾圧を典型として。

とにかく求められているのは、国家の余白に自由を見つけるという立場ではなく、民衆の「自治／自律／自己権力」のコミューン運動によって、国家そのものを下から解体していく方向性でしょう。自治というのは政治的な自治、自律とは経済的・社会的な自律で経済的アソシエーションや協同組合などのことです。自治運動も自律運動も、ある程度までは主権国家の枠内で進めることが可能ですが、どこかで衝突するようになる。そのときは、主権権力か自己権力かという問題が否応なく生じてきます。

▼格差化の進行と、暴力化する「没落する中流」

――ここまで世界戦争と例外国家、そして例外社会について、また社会運動や戦後問題について伺ってきました。それで、笠井さんのご著書、『例外社会』の白眉のもう一つが、例外社会化が進行する日本の貧困格差や日本のワーキングプア層についての、社会分析の圧倒的な迫力でした。

豊かな社会型の福祉国家が、9・11以降、一気に新自由主義的な傾向を強くさせ、それに伴って社会の分断が進み、階級的差異が可視化されていくわけですが、まずはこの「豊かな社会の変質」という点についてのポイントをお話しいただけますか。そして、ワーキングプア層が自殺、犯罪へと追い込まれていくんだと指摘され、その象徴的な存在として、池田小事件の宅間守、秋葉原事件の加藤智大がところどころで俎上に載せられます。キーワードが社会的承認の剝奪と存在論的不安です。この流れで、やまゆり園事件の植松聖にも触れていただければと思います。

笠井　日本や旧西側先進諸国の人々は、一九六〇年代を頂点として、二〇世紀後半に福祉国家と「豊かな社会」を経験しました。われわれの親に当たる戦後社会を築いた戦中世代は第二次大戦を通過しているので、飢餓と貧困に苦しんだ戦前、戦中、敗戦直後の時代と比較して、この時代の豊かさに満足していました。ところが戦中派の子の世代は、豊かな環境は当然のことで、むしろ「寛容的抑圧」の息苦しさや生の不全感、疎外感に苦しんでいた。さらに、この社会はまっとうではないという倫理的飢餓感にも。平和で豊かな社会には大人たちが口をつぐんで語ろうとしない「秘密」、侵略戦争や植民地支配をめぐる「秘密」が隠されている。それを白日の下に引き出して断罪しなければならない。ここから西ドイツや日本では「六八年」の若者の叛乱が起こってきたわけです。しかしその運動は豊かな社会の壁に衝突して、いったんは敗退していく。豊かな消費社会に身を置いていると、兵士たちの革命意識が拡散し解体されてしまうという危機感から、連合赤軍は山奥に追いつめられた。真空状態で革命性を純粋培養しようとして、連続「総括」死という沼地に呑みこまれてしまう。

アメリカやヨーロッパはその後、悪性のスタグフレーションと終わりのない長期不況に迷い込んでいき、反核、反原発、エコロジー、反差別、フェミニズムなどの「新しい社会運動」というかたちで、「六八年」の運動もある程度は引き継がれていきました。しかし日本では一九七〇年代と八〇年代の繁栄の二〇年が例外的に続いて、大衆運動は限りなく退潮し、社会運動はほとんど壊滅的な状態になってしまう。一九九〇年代と二〇〇〇年代の「失われた二〇年」との対比で、日本に固有だった一九七〇年代、八〇年代の繁栄を「与えられた二〇年」と『例外社会』では呼ぶことにしました。

こうして二〇世紀の後半、日本では一九八〇年代まで続いた経済的繁栄によって、九割以上の人が「私は中流です」とアンケートに回答する中流社会が形成されていく。「中流」というのは一九世紀的なクラス、階級ではないですね。一九世紀的な階級は、資本家と労働者、自作農と小作農、あるいは小規模商工業者など、第一義的には生産手段との関係によって規定される経済的階級ですが、「中流」は違います。一九五〇年代のアメリカのホームドラマで描かれたのは、郊外の広い住宅に住んで、芝生の庭で大型犬を飼っていて、週に一度は自家用車でスーパーに買いものに行き、大型冷蔵庫に大量の食品を詰め込んでいる、などなどといった豊かな生活でした。こうしたアメリカン・ウェイ・オブ・ライフ、アメリカ的生活様式を共有していれば、経済的階級がブルジョワでも各種のミドゥルクラスでも、あるいはワーキングクラスでも、誰もが「中流」になれる。

アメリカに十年ほど遅れて、西ヨーロッパ諸国でも日本でも中流社会が形成されました。所属する経済階級や所得の違いはあろうと、労働者でも中間層でもブルジョワでも暮らし方はあまり変わらない。家の大きさやテレビの大きさが違ったり、乗っている車が大衆車か高級車とかという違いはあっても、基本的には同じような生活様式が支配的でした。結果として、誰もが同じようなことを考え、同じような話題でお喋りするようになる。

こうして中流層が膨大に形成され、中流未満の人々も子供は必ず中流になれると信じていた。「中流」へのパスポートは学歴なので、進学競争は激化しました。日本の八〇年代のように中流社会が爛熟していくと、微細な違いをあげつらうことで隣人との差異化をはかるしかなくなる。もう誰も覚えていませんが、渡辺和博の『金魂巻』の「〇金」「〇ビ」

のように。そのころ、惨めなやつらだと思って横目で見ていましたが、いまの若者には想像もつかない世界でしょう。

ところが、冷戦が終わるとともに豊かな社会は没落しはじめ、中流層も急速に分解されていく。日本ではバブル崩壊の直後から就職氷河期がはじまり、当時の新卒者がまっさきに二一世紀社会の過酷な環境に突き落とされていきます。しかし社会全体の危機感は薄く、じきに景気は回復するだろうと信じられていた。今から思えば太平楽なものです。太平の眠りを覚ました激震は、一九九七年の山一證券と北海道拓殖銀行の破綻でした。そこから日本でも、小泉内閣による新自由主義的な社会再編が加速していく。そして二〇年がたち、格差化と貧困化による社会的荒廃が誰の目にも見えるようになりました。

冷戦時代の旧先進諸国ではワーキングクラス、産業労働者階級も中流でした。中流の消費生活、消費文化を享受していたわけです。新自由主義とグローバル経済化による打撃を最初に集中的にこうむったのが、中流でも経済的に脆弱だった産業労働者、工場労働者の層で、その危機がトランプ現象やブレグジッド（イギリスのＥＵ離脱）という労働者階級のポピュリズム的反乱に通じていきます。シャンゼリゼを占拠したフランスのジレ・ジョーヌ運動も、没落中流の抗議運動ですね。

永山則夫の個人史を見るとわかるように、高度成長期にも戦前から積み残されていたような貧困は存在しました。しかし二一世紀社会の問題は、豊かな社会の中流層が分解され、生活的に困窮していくという新しい貧困です。人々は社会的なアイデンティティを失い、人生の目的も、努力するための動機も失っていく。韓国では、貧困化のために恋愛・結婚・出産を諦めた三放世代という言葉が流行語になりました。さらに就職・マイホームも諦めた五放世代、人間関係・夢まで諦めた七放世代と、時間を追って貧困度は増しているようです。日本も同じことで、若者たちは物質的貧困に加えて、社会的承認の貧困にも悩まされている。こうした社会の空洞化と内的崩壊が、この二〇年間でどんどん深刻化してきました。

やまゆり園事件の植松聖にしても、親は学校教師だから、生まれ育ったのは中流家庭でしょう。教師志望だった息子は、しかし教員免許がとれず教師にはなれなかった。親だけが引っ越して、植松は一人で元の家に住んでいたようですが、これは家庭内暴力があった可能性を窺わせます。息子が暴れて手が付けられない、身の危険を感じて親は避難した、というのはよくあることですから。親は中流、子どもは中流から脱落。あの事件の背景には、中流社会の崩壊と若者の非正規職化、貧困化、そして社会的承認への飢餓といった二一世紀的な問題系が潜んでいます。

『例外社会の道化師《ジョーカー》』という評論書でも書きましたが、映画『ジョーカー』が典型的にそういう物語でした。いまもっとも行動化、暴力化しているのは、中流からこぼれ落ちた層だといえる。先日も登戸で通り魔型の殺傷事件がありましたね。[*1] あの事件もこの図式に当てはまります。永山則夫のような戦後社会の最貧困層の少年が暴力化する、という例はかつてよく見られました。そういうケースはいまでもあるとしても、むしろワーキングクラス下層の若者たちのほうが、仕事を回し合ったり、失業しても友達がおごってくれるとか、一緒に遊んでいられるとか、相互扶助と相互承認のシステムのようなものを自前で作ろうとしている。ちなみに地方の若者の、そうした共同性からも疎外されて非正規職を流民的に転々としていたのが、秋葉原事件の加藤智大でした。

本物のヤンキー、反グレ集団でなくても、マーケティングでマイルドヤンキーと分類された高卒、地元系の若者たち、階級的にはワーキングクラス下層の青少年の共同体には、もちろん体育会的な先輩後輩関係のシバキやイジメのような抑圧があるとしても、自前の生存ネットワークとして機能している面もある。中流家庭の子どもが階級脱落して孤立し、ヤンキー仲間にも入れず、最後にたどり着いたＳＮＳのネット空間でも居場所を失った結果、加藤智大は無差別殺傷事件に走った。両親が典型的な中流、子どもの世代になってそこから脱落したというところに、いま「例外人」が集中しているように感じます。植松の場合も、こうした点では加藤と共通するのでは。

▼植松聖という「例外存在」

笠井　植松が加藤と違うところは、反社会性の意識が薄い点ですね。池田小事件の宅間守の場合、社会は敵だという意識が加藤よりもさらに強烈でした。しかし反対に植松は、社会のためになることをしようと思って、大量殺人を実行したのだという。敵である社会に一矢報いたいという宅間と、社会に役立ちたいと思う植松では、犯行の動機が正反対です。宅間は反社会性人格障害とも診断されそうですが、植松は違うようです。反社会どころか、差別を内包した日本社会に過剰適応した、いわば過剰に社会同調的な人格だったのではないか。宅間が「例外」的な存在だと自任していたのにたいし、植松にとっては障害者のほうが「例外」的で、自分は「正常」だと思っている。差別社会の論理を徹底化して、「正常」の側から「例外」を攻撃し抹殺しようとした。

宅間は自分が「例外的」な少数派で、社会とは和解も共存もできない、社会とは殺すか殺されるかの絶対的な闘争状態にあると思っていた。そしてどんどん追い詰められていき、自滅する前に一矢報いてやろうと腹をくくった。宅間のような存在を、『例外社会』では「例外状態の人格化」としての「例外人」と呼んでいます。こうした人格に、法秩序はどのように対処できるのか。治安の論理は万能ではありません。例外人の候補者すべてを捕まえて閉じ込めてしまうわけにはいきませんから。できることは例外社会的な対処です。ＩＴ監視網の精緻化で例外人候補をふるい分け、二四時間の監視下、管理下に置くこと。このように例外人化と例外社会化が二人三脚で進んでいくという、息苦しい予感があります。しかも例外社会の多数派は、それが自分たちのセキュリティを高めると無批判に歓迎する。

植松の場合は、まさに例外社会の側に立とうとした。監視と管理の側、その極限で社会の負担を「処理」する側に。そうした心理の裏側には、社会から脱落し例外化しかねない将来への怯えがある。自分を秩序の側に、正常の側に、差別される側でなく差別する側に置き続けようとして、自分の将来の姿かもしれない人々を暴力的に排除した。そうすることで、差別的な秩序の階梯を転落することなく、逆に上昇できると思いこんだ。障害者に向けられた殺意は、こうした観念的倒錯の産物でしょう。

たとえば、大便をめぐる陳述がありますね。ある入所者にかんして、汚いものに触りたくないから殺さなかった、と裁判で証言している。汚物に対する脅迫観念があるようです。それは障害者全体が「汚物」であって、処理しなければならないという観念になる。植松の判断には「正常／異常」や、支援がなくても一人で生活「できる／できない」という軸に加えて、なにがしか美的な、美的といえるほど洗練されていなくても「きれい／きたない」という軸が介在しているようで、これはよくある差別意識です。

たんに機能的な差異や優劣をあげつらうだけではなく、そこに美しいか美しくないかという基準を持ち込んでくる。どんな差別意識でもそうです。差別する側は美しく、される側は醜いという視線で、差別者は被差別者を見ようとする。ナチスの人種主義は、ユダヤ人のような存在は美しくない、劣った存在だということを公然と主張しました。近年までのアメリカ白人によるアフリカ系差別も同じです。ナチスもＫＫＫも差別を悪いとはまったく思わないし、差別意識を隠そうともしません。

しかし二一世紀のレイシズムは、ナチスに典型的な人種主義的差別ではなく、逆に自分たちのほうが差別されているという被害者意識を原動力にしていきます。この点が二〇世紀までの差別主義とは大きく違う。たとえば日本の在特会は、在日特権というような妄想やフェイク情報によって、在日の連中は様々に優遇されている、われわれ日本人はひどい目にあわされている、差別されているのは日本人のほうだという倒錯した被害者意識を原動力にしていますね。

アメリカでも露骨な人種主義的差別は後景化し、あいつらはアファーマティブアクションで優遇されていて、俺たちは損をしている、そういう被害者意識を背景にしたレイシズム、社会的差別が前景化してきました。それは植松にも共通します。社会にとって無益で不健全な連中が優遇され、健全な社会にとって無用の負担になっている。マイノリティである障害者の面倒を見なければならないマジョリティこそが不利益を押しつけられている。このような植松の発想は、レイシストが自分たちこそ差別されていると思いこむのと同じです。自分たちの優位性を少しも疑わない二〇世紀までの差別主義に対して、自分の劣弱性を障害者に投影する植松のそれは二一世紀的で、単純にナチの優生思想と同一視はできません。にもかかわらず、差別に美的基準を持ちこむ。この点で植松には、新旧の差別主義が二重化しているところもあるようです。

植松が注目し支持していた政治家は、トランプやプーチンや、フィリピンのドゥテルテなど、いずれも世界内戦の時代の強権的なリーダーとしてリベラルからは悪評の高い人物です。権威主義的で威圧的、暴力的な権力者に憧れ、それと観念的に同化したいという観念的欲望もまた、没落する中流層には半ば必然的です。

▼植松聖と反社会性の問題

――先ほど、植松にはあまり反社会性はないというお話がありましたけど、大学生になって以降、彼はどんどん悪くなっていったという証言が、友人たちから出されているのですね。内容を見てみると、出会い系で知り合った女性をＡＶへ出演させようと強要したり、付き合っていた女性と別れるとき、これまで費やしてきた金銭を書きだして、それをすべて返済するよう証言させ、証拠として録音したとか、ヤクザまがいのことをしています。これは彼の反社会的特性だと思うのですが、このあたりのことはどんなふうに考えられますか。

笠井　半グレと付き合いがあった、という報道もありましたね。でもどうなんでしょう。トランプのキャラクターは金のある半グレみたいなものです。植松の場合も、昔の不良のような反秩序意識、反社会意識とは違うようです。とはいえ、ヤンキー社会に完全に同化して、そこで承認を得られた様子でもない。ヤンキー社会からもはじき出されていく個性だったように感じます。ハングレもヤンキーも総理大臣に褒められたいと思って、大量殺人に走ったりは普通しませんから。

——そうですね。そういう点は確かに違っていますね。

笠井　障害者を「始末」するので五億円くださいとか、ヤンキーの発想とはいえないでしょう。植松と同じような差別意識の持ち主が、そうなればいいなと思っても、他方ではそれが受け入れられるわけはないと常識的に判断している。この判断ができない植松は妄想的ですね。しかも、たんなる病的な妄想ではなく、安倍総理が頂点である日本社会の差別構造を、ある意味でストレートに反映している。安倍は立場上そう露骨には言わないにしても、たとえば生活保護費をどんどん削減していく。困窮する社会的弱者には、お前ら邪魔だからさっさと消えてくれと思っているのでしょう。その点で植松は、事態を正確に捉えています。問題は、安倍がそう思っていても、そうとはいわない、いえないという仕組みが理解できていないところです。

だから宅間のような、社会は敵だという鬱屈した攻撃的な意識はない。ごく自然に、決定的な線を越えるという精神的な飛躍もないまま、日本の犯罪史上もっとも凶悪な大量殺人を犯してしまう。植松の精神的な崩壊は、日本社会の内的崩壊の鏡です。社会全体がそうなっていることを、圧縮して見せている点で。

『例外状態の道化師《ジョーカー》』で書きましたが、アカデミー賞を受賞したポン・ジュノ監督の『パラサイト』は、現代的な格差と貧困を告発した映画だ、という映画評が一般的です。しかし、それは見当違いですね。たんなる告発や批判から一歩踏みこんで、没落する「中流」が暴力化する必然性を描いた映画ですから。たんなる貧困ではなく、中流から脱落した結果の二一世紀的な貧困。地上と半地下と地下という三層構造のなかで、半地下から地下に転落しかけた主人公は、本人にも正体のわからない暴力的な衝動に駆られて「地上」の雇い主を刺し殺してしまう。監督自身がそういう自作解説をしているのに、もっぱら貧困を告発した映画だと思われている。ようするに『パラサイト』は、中流の没落と暴力化というトランプ現象とも重なるような時代的なリアルを、批評的に描いた映画なんですね。だからアカデミー賞も、あの作品を高く評価した。世界内戦の第三の戦線の主役は、繰り返しますが暴力化する没落中流層で、『パラサイト』は『ジョーカー』と同様に、その運命を正面から描いていています。

▼暴力とテロリズムをめぐって

――はい。では最後の問いにしたいと思いますが、「例外社会とテロリズム」ということで、少しレクチャーしていただけませんか。私は、津久井やまゆり園事件は「優生思想によるテロリズム」と捉えていますが、本を繙けば「テロリズムとは、何らかの政治的、思想的、感情的目標を成し遂げるために実行される、無辜の市民に対する意図的暴力」と説明されています。『テロルの現象学』第1章の、テロリストの内面分析は、とても優れた洞察だと思います。[*2] 笠井さんが「例外社会とテロリズム」をどう考えておられるか。「津久井やまゆり園事件は優生テロリズムである」という仮説と、「戦後のテロリズムの歴史[*3]」をどう考えておられるか、お話しいただければと思うのですが。

笠井 最近のBLMでも、放火や略奪が問題になりますね。どんな大衆蜂起にもそうした行為は含まれている。暴力と非暴力を二項対立的にとらえることは間違いです。存在論的にいえば、世界とは力と力が無数に錯綜し重層するその総体です。暴力とは、世界を世界たらしめている力の、ある形態に過ぎません。この点からいえば、潜在的であるか顕在的であるか、大きいか小さいか、そういう違いはあるとしても、どんな事象も出来事も多かれ少なかれ暴力的です。暴力の反対の極に非暴力があるわけではない。暴力の現れ方が様々に異なるだけです。だから必要で可能であるのは、できる限り自他破壊的ではないかたちで暴力をコントロールすることです。

たとえばガンジーの非暴力主義は、多くの人が漠然と思うような意味での「非暴力」ではありません。非暴力的な抵抗行動は、警官をはじめとする植民地主義の暴力を引き出して、それを身に被ることによって世論を変え、敵に打撃を与えようとする戦術ですから。換言すれば、潜在化されている植民地主義の暴力を顕在化させる行為が、ガンジー的な非暴力的抵抗で、いわば非暴力的な暴力、政治的威力としてコントロールされた暴力ともいえます。逆に言えば、植民地支配それ自体がむちゃくちゃな暴力ですね。警官の暴力が圧倒的であれば、それは行使される必要さえない。人々は抵抗しない、恐怖のために抵抗できないから。だから植民地が平穏だとしても、それを非暴力の状態だと肯定できますか。あまりに巨大な暴力は顕在化する必要さえないのです。

ガンジーの行動は、そうした潜在的暴力を顕在化させる。そのために暴力を身に被ろうとする。これもまた暴力ですが、正当化されうる暴力です。ただしガンジーの戦術は、敵が二〇世紀のイギリス政府だから効果的だったともいえますね。シリアのアサドや北朝鮮のキム・ジョンウンに対して非暴力的抵抗は無力です。坐り込んでいるデモ隊を機関銃で皆殺しにして、屍体はさらしものにするでしょう。

とにかく暴力はいけません、という非暴力の絶対的原理化は、潜在化されている抑圧的暴力の容認にしかならない。テロリズムとは対極的に見えますが、教条的な非暴力主義もまた観念的倒錯の産物です。抑圧の暴力もあれば抵抗の暴力もある。腐敗した暴力もあれば浄化する暴力もある。それがいかなる暴力であるのか、いかなる結果を目指し、いかなる効果をもたらしたのか、それを個々の事例に即して慎重に吟味することでしか、その暴力行為の是非は判断できません。

テロにしても同じです。普通、言葉には指示する対象がある。しかし「テロ」という言葉が意味するのは、この言葉を向けられた対象ではなく、この言葉を発した者の立場、立ち位置なんですね。ある政治的行為を「テロ」として名指すとき、人はそれを貶め、最大限に否定しようとしている。だから「テロ」という言葉が意味するのは、その行為を認めない、絶対的に否定するという発話者の立場です。同じ行為を指して、「テロ」だという者もいれば、英雄的な行為だ、正義の行為だという者もいる。当然のことです。テロという客観的な実体があるわけではない。あれはテロだと言いたい人間がいる、それだけのことだから。

アメリカが「反テロ戦争」と言いはじめたとき、愚かなことだと思いました。そもそもテロというなら、アメリカという国そのものがテロの産物ではないか。独立革命の発火点になったボストンのティーパーティ事件*4は、イギリスと植民地政府にとってはテロ以外の何ものでもなかった。しかし、それをアメリカ人はテロとは言いません。ようするにテロという実体があるわけではなく、あれはテロだという名ざしがあるだけです。アルカイダは自分たちのやっていることを、もちろんテロだとは思っていない。崇高な殉教的行為だと思っている。あらゆる革命も同じです。国家の側からすればテロで犯罪行為でも、もしも革命が成功してしまえば、それは犯罪ではなくなる。同じ行為がテロか革命的行為かも、事後的にしか確認しようがない。

しかし、そういってばかりもいられません。たった今判定しなければいけない。それを肯定し容認するのか、あるいは否定し阻止するのか、たった今決めなければいけないという場合があります。その場合には、考えないわけにいきませんが、そのためにも、客観的な実体としてテロがあるというような固定観念は捨てなければならない、そう思いますね。

――そうすると笠井さんが『例外社会』のなかで、宅間守や加藤智大の行為を「テロ」と呼んだのは、相応の理由があったということなわけですね。

笠井　そうですね、ありました。承認されていないという不遇感、抑圧感を埋めるための暴力は否定的な暴力で、止めなければならないと考えます。宅間の行為も植松の行為にしても、基本的にはルサンチマンから生じています。ルサンチマンは被害者意識、被害者感情ですが、被害という事実があろうとも、そこから被害者意識が必然化するわけではない。被害体験の重圧に抵抗の意志が屈服してしまうとき、ルサンチマンが生じます。ルサンチマンの暴力は腐敗した暴力にすぎません。

しかし、たとえば今、アメリカ各地で起きているBLM運動のデモには、否定してはならない暴力が含まれていると判断します。それは長年にわたる差別と抑圧と収奪の歴史、黒人が受けてきた被害の累積を意志的に覆そうとする運動です。そこに暴力があり違法行為であるから、すべて悪いとは言えません。略奪にしても、略奪物資を共有して必要な人間に配分しているなら、たんなる窃盗ではない、反貧困運動の一形態でしょう。

日大全共闘は大学図書館の蔵書を組織的に売り払って、闘争資金にしていたといいます。古田体制を支持し日大闘争を否定するのであれば話は別ですが、そうでなければ、これをたんなる窃盗行為と非難はできません。生産管理闘争も同じです。わたしが子どもの頃、父親はペトリのカメラを愛用していました。友人がペトリの社員で、有名なペトリ争議のとき、組合が作ったカメラを頼まれて購入したそうです。組合が工場を占拠し、会社の資材で製品を製造し販売して闘争資金に充てる。これも資本の側からすれば、財産権の侵害で立派な犯罪行為です。どんな場合も暴力はいけません、略奪はいけません、犯罪行為はやめましょうというリベラルや市民的良識派は、自分の発言がなにを守ることになるのか、よくよく考えてみるべきでしょう。

——はい、長時間にわたってお話ししていただきましたが、当初の希望以上の内容をお聞きすることができました。この辺で終わりたいと思います。ありがとうございました。

（二〇二〇年九月二二日　Zoom にて収録）

＊1　二〇一九年五月二八日朝、川崎市登戸駅付近の路上で、私立小学校のスクールバスを待っていた児童・保護者が、男性にあいついで刺され死傷した事件。男性は二人の保護者と児童一七人に次々と刃物を向けた後、自ら首を切って死亡した。

＊2　『テロルの現象学』（一九八四年刊版）第1章「観念の発生」の記述。

「テロリズムとは観念的暴力に他ならない……」

「全的に世界を喪失してしまった人間は、既に破滅を強いられた存在である。ただ彼には、ゆるやかな、窒息するような破滅か、急激で劇的な破滅かの選択しか残されてはいない。完全に世界を喪った者にとって、生の一瞬一瞬が世界喪失の追体験であり、間断のない苦痛であり、受苦である。（略）世界はいつも、

他者たちのよそよそしい世界であり、彼はそこから永遠に追放されている……」（p29）
「彼は喪失した全世界を奪い返すこと、真実の自己回復、究極の自己救済を夢想する。そして発見される自己回復、自己救済のための方法は、世界の観念的な私所有に他ならない。（略）正義という観念が不正と虚偽に満ちた世界にとってかわる。理想という観念が世界の現実にとってかわる」（p30）……まさに植松。

＊3　佐藤事前メモ―戦後日本のテロリズムの流れ

1．六〇年代　浅沼稲次郎刺殺事件（六〇年）『風流夢譚』（嶋中）事件（六一年）－（六〇年安保闘争の影響。戦前の国家主義右翼によるテロの流れが残る）

2．六八年から七〇年代の新左翼セクトによるテロリズム（キーワードとしての「本土決戦」－武装闘争、連合赤軍、内ゲバ）

3．九五年、オウム真理教サリン宗教テロ（アンダーグラウンドでの疑似的な「内戦」状態を企図した麻原（妄想状態？））

4．〇一年、大阪池田小事件（宅間守）／〇八年、秋葉原事件（加藤智大）

5．一六年、津久井やまゆり園「優生テロ」事件（植松聖）（失われた二〇年。小泉政権以降の例外国家から例外社会へ。３・11巨大災害による経済状況のさらな

る急落。安倍晋三内閣の立憲主義を無視した戦争法の締結。トランプの登場。東アジア情勢の悪化）

〔後記・なおこのメモは、インタビューにおける笠井氏の、テロリズムをどう捉えるか、という指摘により、インタビュー後は修正されている〕

＊4 「ボストンのティーパーティー事件」一七七三年一二月一六日、マサチューセッツ植民地（現アメリカ合衆国マサチューセッツ州）のボストンで、イギリス本国議会の植民地政策に憤慨した植民地人の急進派が、港湾に停泊中の貨物輸送船に侵入し、イギリス東インド会社の船荷である茶箱を海に投棄した事件。アメリカ独立革命の契機となった。

第3章

「世界内戦」としてのロシア－ウクライナ戦争

——今度の「ロシア－ウクライナ戦争」についての、全体的な感想をお聞きしたいというのが最初の問いですが、その前に私の感想を話させてください。

（1）二〇二二年二月二四日のロシア侵攻以降、あっという間に、プーチンの「暴挙」によって始められた戦争、「プーチン・ロシア＝巨悪　ウクライナ・ゼレンスキー＝犠牲者」というわかりやすい図式ができあがり、報道の構図が一気に作られました。それはその通りで、間違いではないのですが、最初、その構図には収まり切れないわかりにくさを感じていました。だんだんと、この戦争には、次の三つの要素が混在しているのではないか、そう感じるようになったのです。

一つは、二〇一四年以来のウクライナ東部「ドネツク」と「ルガンスク」での（これはロシアが後ろ盾になっているのですが）、親ロ派勢力の分離独立をめぐるウクライナの内戦という要素があります。

二番目は、ウクライナとロシアの関係におけるプーチンの思惑ですね。ウクライナをNATO化させない、親ロ政権を樹立させるといったようなものですが、そういう要素があります。しかしウクライナは、ロシア化することは断固拒否する、西側の一員となることが自分たちの望みだ、ということでその意志を貫こうとしている。それならということで、ロシアのウクライナへの一方的な武力侵攻が始まった。

三番目は、徹底抗戦を訴えるウクライナに対し、アメリカとNATO諸国は武器を提供し続けるわけですが、そのことによって、実際の軍事衝突にはいたっていないけれども、アメリカ＝NATOと、ロシアの対立（心理戦）という側面も濃厚に生じています。ここに、中国やトルコが巧みにロシアとの提携網を敷き、徹底した反米の中東諸国もロシアの加担に一枚加わるなど、一時、世界が二分されていく構図が見られました。これが加速するとかなりまずいことになるのではないかと思いましたが、今はこの動きは小休止しているようです。

ともあれ、「ロシア－ウクライナ戦争」には、このような三つの要素が同時進行的に動いているという印象があります。この戦争について、笠井さんがその全体像をどうつかんでおられるか、お話しいただければと思います。

（2）報道などで、安全保障の環境が大きく変わった、変わらざるを得なくなった、と指摘されますが、やはり私も同様のことを強く感じました。幕末に、浦賀沖に突然黒船がやって来たときのショックくらいの激震ではないか、と感じました。あとの質問にも関連することですが、とくに日本という国は、内在的に自分自身を変えるということができなくて、「長い戦後」が続いていました。しかしこれ以降、強制的に「長い戦後」が終わらざるを得なくなった。「9条護憲」をいうことが「戦後の平和思想」の発信、という「常識」は、今後淘汰されていくのではないかと感じます。

もしこのまま、いままで通りでいいんだということであれば、アメリカ依存がさらに深まり、「不動の日米協定」のもとで自衛隊はアメリカ軍の下部組織そのものになっていく（当初から、そうなっているのかもしれませんが）。それをずるずると受け入れてほんとうに属国化するか、少しでも独立国を目指そうとするのか、これまで以上の岐路に立つことになった、それがはっきりしたという、そういう変化です。

私の感想はとりあえずこの二点ですが、まずは全体の感想について、それからこうした国際社会の安全保障環境の変更、と言われる点について笠井さんがどう考えておられるか、そしてウクライナ侵攻を「二一世紀の世界内戦」ととらえてよいのか、などをふくめてお話しください。

▼「ロシア‐ウクライナ戦争」をどう考えてきたか　――「世界内戦」における三つの戦線

笠井潔　今回のウクライナ戦争で最初に考えたことは、前回のインタビューで話した「世界国家化するアメリカと、それへの挑戦」ということです。二〇〇一年の9・11でイスラム革命勢力によるアメリカの世界国家化への反撃が開始されました。それから二〇年以上、延々と反テロ戦争が続けられてきたわけですが、今回のウクライナ戦争でポスト世界国家化の時代は新しい局面に入ったのではないか。

一九九一年にソ連を崩壊に追いこんだあと、冷戦に勝利したアメリカは世界国家というメタレベルに立ち、世界秩序を実力で維持する権利を手に入れました。アメリカの目下の同盟国だったNATO諸国はもちろん、ロシアや中国も世界国家アメリカには異を唱えられないシステムが形成されはじめた。まだ完成された世界国家ではないとしても、いわば準世界国家としてアメリカは行動するようになる。それが父ブッシュのいわゆる「新世界秩序」で、その具体的な成果が準世界国家の警察行動として行なわれた湾岸戦争でした。このような「アメリカ独覇」体制への真正面からの挑戦が、湾岸戦争から一〇年後の9・11攻撃です。しかしそのことで、アメリカが二〇世紀の世界戦争に最終勝利して獲得した世界国家への権利を、ただちに放棄したわけではありません。内外にわたる反テロ戦争によってイスラム革命勢力の打倒、駆逐をめざしてきたのですが、9・11から二〇年後の二〇二一年、ついにアフガン撤退に追い込まれてしまった。反テロ戦争の主戦場だったアフガンでもイラクでもアメリカは事実上敗北し、そして勃発したのがウクライナ戦争です。

前回にも述べたように二一世紀に入って、世界国家化するアメリカへの抵抗は主として三つの戦線で戦われてきました。アメリカとイスラム革命派が戦う第一の戦線。これは、アメリカ対イスラム革命勢力が軸ですが、派生的に中国とロシア、あるいはイギリスやフランスなどヨーロッパ諸国もイスラム革命派と戦っているわけで、この点では二一世紀の有力な地域大国はアメリカの側に位置します。これが第一の戦線です。

第二として、準世界国家アメリカと中国やロシアなどの地域覇権国が対立する戦線がある。第一戦線でのアメリカの後退と弱体化につけ込む形で、ロシアによる勢力圏拡張としてウクライナ侵略戦争が開始されたわけです。佐藤さんがウクライナ戦争の第三の要素とした「ロシア対NATO」ですが、NATO側の言い分は集団安全保障の理念化を前提とする「力による現状変更を許さない」ですね。ここは注意したほうがいい。ロシア側とNATO側の東西二大パワーが、ウクライナを舞台として軍事的な覇権争いをしているという理解は一面的で皮相です。

忘れてはならないのは、アメリカという準世界国家に対する闘争は、アメリカ国内でも戦われている事実です。それがトランプのアメリカファースト路線、別の言い方をすると、アメリカの極右ナショナリズムです。世界国家になるのはよそう、世界で最大最強の覇権国として国家エゴを無制約的に貫徹していけばいいじゃないか。そういう立場ですね。アメリカ国内に、世界国家化に反対する勢力が存在する。

これはトランプの大統領選挙の落選と、トランプ派によるクーデタの失敗で一段落したように見えますが、次の大統領選挙でトランプが再登場する可能性は少なくない。トランプがたとえ引っ込んだところで、アメリカ国内の、一国主義的で排外主義的な過激ナショナリズム勢力が消えるわけではありません。そして、これもまたアメリカ一国の現象ではなく、EU諸国にも同じような極右ナショナリズム勢力が存在します。第二点としてあげた集団安全保障と世界国家化に対応する理念はリベラリズムで、国内的には議会制民主主義です。冷戦終結の直後にフランシス・フクヤマが勝利宣言したところのリベラルデモクラシーですね。しかしリベラルデモクラシーの国内・国際体制は三つの戦線で三つの「敵」に脅かされ、いまやじりじりと後退を強いられている。

9・11以降の反テロ戦争という第一の戦線は、その一帰結としてアメリカとEU諸国に移民問題をめぐる社会的緊張を生じさせました。反グローバリズムの極右ナショナリズム勢力が反移民の排外主義を掲げて影響力を急拡大し、アメリカのトランプ政権誕生、あるいはイギリスのブレグジットにいたった。第三の戦線の形成です。周辺諸国へのロシアの膨張政策や中国の海洋進出など、準世界国家による世界秩序への地域覇権国による攻撃は二一世紀に入って拡大してきたわけですが、こうした第二戦線の前景化としてウクライナ戦争を捉えなければならない。ウクライナ軍事侵攻をプーチンが決断した背景には、第一、第三戦線での準世界国家アメリカの後退や弱体化があります。

二〇世紀が世界戦争の時代だったとすれば、ポスト世界国家化の時代としての二一世紀は世界内戦の時代です。9・11にはじまる世界内戦の序盤戦、第一ステージでは、準世界国家アメリカに国際的にはイスラム革命勢力、中ソなどの地域覇権国、国内的にはトランプ的な極右ナショナリズムが三方向から攻撃をしかけてきた。第二ステージは、アメリカが世界国家化の野望を最終的に放棄する時点ではじまるでしょう。このように世界内戦の第一ステージは、三つの戦線が相互に作用し合いながら進行し、第二ステージという本格的な段階に入ろうとしている。

▼ウクライナ戦争における三つの要素

笠井　ウクライナ戦争には、佐藤さんがまとめた三つの要素とも部分的に重なる三つの側面があると考えます。第一はウクライナの西欧化志向と、それを阻止したいロシアの対立という側面です。西欧化とは政治には民主化、経済的には市場化、制度的にはＥＵ加盟とＮＡＴＯ加盟ですね。

ウクライナでは二〇〇四年に民主化革命がありました、オレンジ革命です。これは親ロ派のヤヌコヴィッチの大統領就任を阻止する大衆蜂起で、その結果として再選挙が行なわれ、新大統領は反ロ・親EU派のユシチェンコになる。〇四年のオレンジ革命を含む旧ソ連諸国のカラー革命は、権威主義的支配に対する民主化運動ということで、たとえば「ベルリンの壁の崩壊」からはじまる東欧民主化革命の、時間的落差のある反復として捉えることができます。ウクライナでは東ドイツやポーランド、チェコ、ハンガリーのような共産党支配への抵抗運動の蓄積が乏しいまま、ソ連の弱体化に乗じる形で短期のうちに独立が達成された。

しかしオレンジ革命以降も、民主化と市場化による西欧化が順調に進むということはなく、内政上の深刻な問題を抱えながら事態は推移していきます。二〇一〇年の選挙で、ついに大統領の地位を得たヤヌコヴィッチが、ウクライナとEUの連合協定への署名を拒否したことから、オレンジ革命に続く大規模蜂起が起こり、二〇一四年に政権は打倒された。ユーロマイダン革命ですね。マイダンとは広場のことで、大衆蜂起の中心になったキエフの独立広場を意味します。注目したいのはデモ隊が独立広場を占拠して封鎖した点で、これはカイロのタハリール広場占拠からニューヨークのウォール街占拠にいたる二〇一一年世界同時蜂起で新たに見出された闘争形態です。オレンジ革命が一九八九年東欧革命の後産だとしたら、ユーロマイダン革命は二〇一一年世界同時蜂起の東への波及としても捉えられる。

ヨーロッパ化しようとするウクライナに危機感を抱いたロシアが、属国の地位に引き戻そうとした、これが今回の戦争の第一の側面です。しかし、東欧民主化革命に勝利して、一足先にEU加盟、NATO加盟を果たしたポーランドやハンガリーの事例が示すように、IMF主導の市場経済化とグローバル経済への組み込まれが、民衆の期待したような経済的繁栄と社会的安定を自動的に保証するわけではない。これらの国で権威主義政権が誕生していることからも、それは明らかでしょう。①二〇世紀型の権威主義政治→②民主化革命→③二一世紀型の権威主義政治、という流れでいえば、ウクライナは第二段階の民主化の局面にある。ウクライナにとって①はスターリン主義、③はプーチン主義ということになります。しかも旧西側諸国にとっても③は存在する、たとえばトランプ主義です。

東欧の民主化革命が三〇年も昔のことになり、ハンガリーのオルバン政権のような二一世紀型の権威主義権力がEU内に誕生しているいま、国際的なリベラルデモクラシーの希望の星がウクライナになっている。国際的なリベラルデモクラシーと、新たな権威主義国家ロシアが対決する戦場こそウクライナということですから。

　ウクライナ戦争の第二の側面はドンバス帰属問題です。時間的にはドンバス内戦が先行し、ロシア系住民の保護を口実のひとつとして、ロシアの軍事侵攻がはじまる。このところ主権国家の凝集力が低下し、国内の少数民族の独立要求があちこちで高まっています。大きいところでいうと、イギリスのスコットランドですね。スペインではバスク、そしてカタルーニャの独立運動。政治的には右派ですが、イタリアの北部やベルギーのフランドル独立運動もあります。二〇世紀という世界戦争の時代の終焉とグローバリズムの時代の到来は、少数民族を強制的に統合してきた主権国家体制を弱体化させました。それを好機として、主権国家の支配からの解放を求める地域住民の声が、あちこちで噴出しはじめた。

　こうした流れは、ソ連解体の時点ではじまっていました。旧ロシア帝国の版図を引き継いだ、ソ連という奇形的な巨大主権国家は、一九九一年の時点で一五の共和国に分裂します。その意味するところは、ロシアによる支配からの一四の民族国家の独立でした。東欧でもユーゴスラヴィアの分裂、チェコとスロヴァキアの分離があった。この流れの延長上で、今度はウクライナのロシア系住民による分離独立運動が激化し、中央政府と分離派の内戦がはじまる。もちろんロシアは分離派を公然と支援してきました。

ドネツク、ルハンシクの分離独立運動がロシアの膨張主義と結びつくと、ロシアのウクライナ侵略の第二の側面になる。ロシアが侵略に出てこなくても、ロシア系住民の独立運動はあったのですね。それに対するウクライナの主権国家としての弾圧、という論理がもう一つそこにはある。

第三の側面はロシアの覇権大国化です。この戦争でプーチンのロシアは何を獲得しようとしているのか。たんに西側との緩衝地帯を保持したいのか。あるいはウクライナのロシア系住民の保護や、ドンバス地方の分離独立あるいは領土的併合が目的なのか。必ずしもそうはいえないようです。どこまでプーチンがそれを信奉しているのか、よくわからないところもあるのですが、新ユーラシア主義というソ連崩壊後に影響力をロシアで持ち始めた思想がある。

旧ユーラシア主義というのは、ドストエフスキーがそうであったようなスラブ派の思想（一九世紀ロシアの、西欧派に対抗するナショナリズム。ドストエフスキーの他にも、ナロードニキ運動や、ソルジェニーツインの思想もここに含まれる）なのですが、アレクサンドル・ドゥーギンの新ユーラシア主義は、一部は旧ユーラシア主義を引き継ぎながら、ロシア正教やカール・シュミット理論にも影響され、世界国家化するアメリカに対抗する二一世紀ロシアの国家戦略として打ち出されてきたものです。

新ユーラシア主義では、モンディズムに対する批判が強調されます。モンドというのはフランス語で世界という意味ですが、新ユーラシア主義が攻撃するモンディズムとは、ようするにアメリカによる世界支配のことです。グローバリズムとリベラルデモクラシーを掲げて世界国家化していくアメリカ、それにロシアはどのように対抗するべきなのか。

一方ではヨーロッパをアメリカの影響から切り離し、ヨーロッパ全体をアメリカとの緩衝地帯に変えていく。他方では、旧ロシア帝国の版図を回復する。そしてユーラシアを支配する巨大な地域大国を築こうという地政学的な背景のあるイデオロギーです。新ユーラシア主義では中国はあまり視野に入っていなくて、むしろ日本に重点がある。日本にたいしては北方領土を返還し、それをきっかけにして日本を巻き込んでいく。ドイツとも手を組んで世界国家化するアメリカに対抗するという、そういう構想が語られています。

プーチンがドゥーギンの新ユーラシア主義に影響されているかどうかはともかく、アメリカの世界支配を掘り崩してロシアの二一世紀的な政治軍事大国化、地域覇権国家化を進めようとしている、その第一歩としてウクライナ侵攻があることは事実でしょう。これがウクライナ戦争の第三の側面です。

▼ロシア・中国の大国主義が意味するところ

笠井　第一の側面では、ロシアはいわば防衛的です。あるいはウクライナが能動的で、それに対しロシアは受動的です。ロシアにしてみればウクライナがユーロマイダン革命で親ロシア政権を倒したりするから、自分たちは「特別軍事作戦」に追いつめられたという理屈になる。ロシアが自己了解としては受動的なのは、第二の側面も同じことです。反ロ的なウクライナ政府が、ドンバス地方のロシア系住民を抑圧し、ミンスク合意も守ろうとしないから……、というわけですね。しかし第三の側面では、ロシアは自己了解としても能動的かつ攻撃的です。

中国は中国で、清朝時代の最大版図の回復を公然と語りはじめた。さらに一帯一路で陸路と海路の双方からヨーロッパまでつながる経済圏を築こうとしている。あるいは東シナ海、南シナ海はもちろんのこと、太平洋の西半分までも中国が支配するという膨張政策を推し進めている。このように、中国にも地域大国化するプランが存在します。

ただし注目しておくべきなのは、ロシアや中国の覇権大国化は、世界国家化を意味するものではない点です。両国とも、世界国家として諸国家のメタレベルに立とうとしているわけではないし、それに必要な力もない。世界国家とは諸国家を合法的に統治する点で支配的な権力ですが、同時に諸国家と諸国民が共有するグローバルな規模の政治的インフラでもある。世界国家であるためには世界全体のインフラの役割を引きうけ、そのためのコストを支払わなければなりません。そのインフラにはリベラルデモクラシーというような、人類的な規模での支持と合意を調達できそうな世界理念も含まれます。イスラムもロシア、中国もリベラルデモクラシーを拒否するわけですが、それに代わる普遍的な世界理念を提起しているわけではない。

このように中国もロシアも世界国家にはなれないし、なりたくもない。アメリカを国際社会のメタレヴェルから引きずり下ろし、世界内戦状態を創出する。他国への侵略も力の行使もやりたい放題でやっていこう、というのが二一世紀の地域大国による覇権主義ですね。そういえばロシアの新ユーラシア主義は、戦前日本の大東亜共栄圏とよく似ています。第二次大戦に際してドイツとソ連とアメリカは世界国家構想を持ち、それに基づいて世界戦争を自覚的に戦ったのですが、日本は東アジアの地域覇権構想しか持ちえませんでした。

アメリカを世界国家でなく、世界で最大最強の覇権的大国にしてしまおうとするトランプの場合も同じ。アメリカでトランプ的路線が完全に定着したとき、つまりアメリカが準世界国家の地位を完全に放棄するとき、世界内戦は準備段階から本格的な段階に移行します。

いずれにしてもリベラルデモクラシーの世界史的敗北が確定するかどうか、これからの一〇年ほどが勝負でしょう。ロシア、中国、アメリカの三国が、世界内戦の重要プレーヤーとして覇を競うというのが、現在見えている事態です。日本は対米従属を深めていくとしても、EUはどうなのか。インド、あるいはイスラム圏のトルコ、イランといった地域大国も、世界内戦の過程で覇権闘争のプレーヤーとして登場してくる可能性は否定できません。

▼「武力による現状変更は許さない」が戦争の抑止力にならない理由

笠井　さきほど先送りした問題に話を戻します。ウクライナ戦争で米欧日など西側の反ロシア陣営は、「力による現状変更を許さない」と唱和しています。これは国連憲章第二条四項「すべての加盟国は、その国際関係において、武力による威嚇又は武力の行使を、いかなる国の領土保全又は政治的独立に対するものも、また、国際連合の目的と両立しない他のいかなる方法によるものも慎まなければならない」に依拠した発言で、「問題解決に暴力を持ちこむのはよくない」という市民的常識とも相性がいい。

しかし市民社会の常識は、そのまま国際社会の常識ではありえません。市民社会には内部対立を決済するメタレヴェルとしての主権が、ようするに国家が存在しますが、国際社会にメタレヴェルの権力は存在しないからです。主権国家間の対立を、カール・シュミットのいう「保護・限定された」戦争によってそのつど解決していくのが、一七世紀にはじまり一九世紀に完成を見たヨーロッパ公法秩序でした。合法化された戦争（国民戦争）によって、非和解的なまでに昂進した国家間対立に新たな均衡点を見出していくヨーロッパ公法秩序は、しかし原理的な不安定性をはらんでいました。そのため二〇世紀になると、国際社会にメタレヴェルの権力を析出する運動が世界戦争として開始され、アメリカが最終勝者として世界国家の地位に就く権利を得た。これらについては前回のインタビュー（本書の1、2章）で話したので繰り返しません。

注意しておきたいのは、力による勝ち抜き戦としての世界戦争の裏側には、いわば世界平和を将来的に保障するために、国際法を再編成し、高次化していく試みが存在した点です。第一次大戦という文明史上最悪の戦禍を二度と繰り返さないため、国際連盟が結成され、パリ不戦条約が締結されていく。その眼目は戦争の非合法化と、戦争以外の平和的方法による国際紛争の解決です。しかし、戦争の非合法化という大戦間の理想主義には、決定的な限界が潜んでいたのですね。それでも戦争をはじめる国が存在するかもしれない、その場合にはどうするのか。

戦争を禁止した新たな国際法では、それでも起きるかもしれない戦争を二つに分けます。攻撃戦争と自衛戦争です。戦争の非合法化という規範を逸脱して、先に軍事攻撃を仕掛けた国の戦争は攻撃戦争、仕掛けられた側のやむをえざる戦争が自衛戦争です。一九世紀までの「保護・限定された」戦争では、たがいにとって対戦国は「正しい敵」でした。だから戦争法というルールも存在しえた。

しかし二〇世紀の戦争では、戦争をしかけてきた違法者、犯罪者としての対戦国は「不正な敵」、邪悪で抹殺されるべき敵です。だから二〇世紀の世界戦争は、かつての宗教戦争のような正義と悪の闘争で、必然的に歯止めのない残虐な戦争になる。

もう一点、領土や勢力圏を巡る、国家間の対立を決済する手段としての戦争を禁止し違法化することは、ようするに「力による現状変更を許さない」ことは、既得権者の利益を固定化し永久化する結果にしかなりません。

第一次大戦後の英米仏など「持てる国」による、ヴェルサイユ体制やワシントン体制としての現状固定化にたいして、「持たざる国」独日などが起こした平等化＝再分割戦争が第二次大戦です。攻撃戦争を起こした「邪悪」な枢軸国は敗北し、「正義」の側から自衛戦争に勝利したと称する連合国によって、第二次大戦後の国際秩序が確立されていく。第一次大戦後のパリ不戦条約や国際連盟による戦争の違法化、にもかかわらず起きた第二次大戦の戦勝諸国による国際連合と集団安全保障の理念化。日本国憲法の不戦条項も、こうした流れを背景として成立したことはいうまでもありません。

憲法九条の戦争放棄とは交戦権の放棄のことです。つまり、国家間対立を一九世紀までのように、国民戦争という手段では解決しないということ。これは第一次大戦後の戦争違法化を、憲法の条項として書き込んだものにすぎず、九条平和主義者が自讃するような理念的独自性は認められません。第二次大戦の勃発によって破算が証明された大戦間の平和主義的理念を、ＧＨＱが憲法草案に加えたのには理由がありました。第二次大戦後はアメリカが諸国家の上に立つ世界国家として君臨する、違法な戦争は犯罪行為として圧倒的な軍事力で鎮圧する。このような戦後構想がアメリカ側には存在したからです。冷戦の開始によってアメリカの世界国家構想は、いったん頓挫します。それでも、西側世界に君臨する半世界国家としての役割は果たしていくことになる。冷戦時代に憲法九条と日米安保が相互補完的に機能してきたのには、こうした事情がありました。

第二次大戦後の「平和に対する罪」を裁く戦争裁判の意味するところも重要ですが、いま問題になるのは国連による集団安全保障の理念です。ウクライナに軍事侵攻したロシアを非難する米欧日の西側諸国には、二〇世紀の世界戦争の過程で形成されてきた集団安全保障の旗がある。

国際連合による集団安全保障は、米ソ対立による国連安保理の機能不全によって、朝鮮戦争以来宙に浮いたままでした。それが再開されるのが、ソ連崩壊と同年の湾岸戦争だったことは偶然ではありません。戦争を抑止するものとしての集団安全保障の理念は、世界国家なしには最終的に実現されえないからです。つまり第一次大戦後にはじまる戦争の非合法化と集団安全保障の理念は、世界戦争という現実に単純に対立するものではない。この点に注意すべきです。両者は表裏の関係にある。これは世界戦争が、恒久平和を保障する世界国家析出のための戦争だったことの反映です。二〇世紀的に再編されてきた国際法は、世界戦争に勝利したアメリカを正当化するものとして存在する。

この点で今回のロシアは、第二次大戦の枢軸国と同じ立場から、同じことを主張しています。反対にNATO側は連合国の主張を継承しているわけです。「力による現状変更を許さない＝戦争禁止」の裏側には「力による現状固定化＝既得権益の絶対化」が存在するわけで、このスローガンを振り回したところで戦争の抑止には繋がらないことを、今回のウクライナ戦争は示しています。

集団安全保障から世界国家にいたる合法的な国際秩序の進化を体現した準世界国家アメリカに、中国やロシアなどの地域覇権大国が「持たざる国」として挑戦している。中ロの立場からすれば、アメリカなど旧ヨーロッパ公法諸国が掲げる戦争の違法化や集団安全保障など、「持てる国」のエゴイズムの自己正当化にすぎません。

▼ヨーロッパ公法秩序の外側での「戦争」

笠井　ところで二〇二二年三月二日の国連特別緊急総会では、ロシア非難の「ウクライナに対する侵略」決議が行なわれました。賛成は決議の共同提案国九六カ国とそれ以外の四五カ国の一四一カ国、反対はロシア、ベラルーシ、シリア、北朝鮮、エリトリアの五カ国、棄権は中国、インド、イランなど四五カ国。反対と棄権を合わせると五〇カ国で、これは米欧日を中心とする共同提案国の半分以上にあたり、無視できる数ではありません。

ちなみに日本が国際連盟脱退に追いこまれた際は、満州国不承認を意味するリットン報告書の採択賛成は、四四カ国中四二カ国、反対は日本一国、棄権がシャム一国でした。満州事変とウクライナ戦争の比較論をよく見かけますが、一九三三年の日本と比較して二〇二二年のロシアは、国際的孤立の度合いがはるかに低いといえそうです。

複数併存する主権国家による国際体制の出発点は、宗教戦争というヨーロッパ全域の長期にわたる戦乱を収拾した、ヴェストファーレン体制でした。この体制をカール・シュミットはヨーロッパ公法秩序と称し、二〇世紀におけるその崩壊を嘆いています。かつて戦争は「保護・限定」されていたが、公法秩序の崩壊とともに「正しい敵」の存在しない無制約的な暴力の混沌と化した、という具合に。

しかしヨーロッパ人のシュミットが見ようとしない別の面がヨーロッパ公法秩序にはあります。たしかに主権国家と主権国家との戦争の場合には、戦争法が適用され、いろいろな制約がある。ようするに「保護・限定」されている。しかし主権国家がヨーロッパ以外で戦争する場合、その多くは植民地獲得のための戦争、植民地化に抵抗する現地勢力との戦争ですが、それは国際法からすれば「戦争」ではない。

今回のロシアと同じことで、戦争ならざる「軍事力行使」だから戦争法は適用されず、攻めこんだ側はやりたい放題で、民間人の大量虐殺のようなことも平然と行なわれてきました。シュミットが称讃するヨーロッパ域内での「保護・限定された戦争」の裏側には、域外での「無制約的な戦争」が存在していた。一七世紀以降の主権国家の国際体制には、ヨーロッパ域内と域外とでこのような二面性があったのです。

▼三大帝国

笠井　コロンブスのアメリカ到達は一四九一年、三十年戦争の終結が一六四八年です。この一世紀半ほどのあいだに、ヨーロッパでは主権国家の形成が進行しました。国家主権の強化、確立の背景にはポルトガル、スペイン、オランダ、フランス、イギリスなどによる海外植民地の獲得と、植民地から収奪した莫大な富があった。絶対主義国家は貨幣の発行を独占することで、宮廷と官僚機構と常備軍を維持拡大する経済的な力を得ますが、そのためには大量の金銀、とりわけ銀が必要です。その銀はスペインが中南米植民地から収奪したもので、ヨーロッパ域内で流通していきました。植民地主義が主権国家の経済的基盤を整え、そのような主権国家の国際体制としてヨーロッパ公法秩序が形成されていく。

一六世紀から一九世紀前半までの二〇〇年のあいだ、ヨーロッパ列強の世界侵出が進んでいくのですが、一九世紀の半ばまでヨーロッパが植民地化できない地域がありました。

ユーラシアの三つの大帝国、中国の清帝国、インドのムガール帝国、中近東を中心とするオスマン帝国です。この三大帝国の経済力と軍事力は圧倒的で、新興のヨーロッパ列強には歯が立たなかった。ヨーロッパが植民地化できたのは南北アメリカとアフリカ、オーストラリア、太平洋諸島、それに中央アジアやシベリアといったところでした。

　ところが一九世紀になって産業革命がはじまり、ヨーロッパの科学技術と機械制大工業が急速に進歩して、産業力と軍事力が飛躍的に発展していく。三大帝国に対しても、植民地主義的な侵食が可能になっていったのです。ムガール帝国はいち早く弱体化し、インドはイギリスに征服されて植民地になる。続いてアヘン戦争から中国の植民地化が開始され、それは第二次大戦の終結まで続いていきます。オスマン帝国もギリシャ独立戦争や露土戦争など、一九世紀から植民地主義の攻撃にさらされていましたが、第一次大戦で最終的にとどめを刺される形で、ほとんどの領土を失っていく。今後、世界内戦の一軍プレーヤーになっていきそうな地域覇権国には、中国、インド、イスラム地域の旧三大帝国という歴史的背景があります。ただし、オスマン帝国を歴史的背景とするユーラシア西部や北アフリカ地域の覇権地図は、まだ輪郭がよく見えてきません。トルコあるいはイランが、イスラム圏で地域覇権を確立するのか、ＩＳのような新勢力がカリフ制のイスラム帝国を新たに築くのか。ロシアについてはあとから述べますが、さらに南アフリカやブラジルのような、旧帝国としての背景を持たない新興国が、南米やアフリカで地域大国化していく可能性も見ていくべきでしょう。東南アジアではインドネシアにも大国化の条件はあります。

▼ヘゲモニーを握った海上国家

笠井　ヨーロッパ公法秩序に話を戻します。第一次大戦まで主権国家とは海外植民地を領有する大国を実質的に意味し、中国や日本を含めてヨーロッパ域外で不平等条約を押しつけられた国は、なにしろ主権が制限されているわけだから、公法秩序を構成する正規メンバーとは見なされませんでした。明治期の日本が不平等条約の改正に必死だったのは、それを達成して侵略する側に廻らなければ、遠からず侵略される側に転落し、欧米列強に植民地化されてしまうという危機感からでした。このようにヨーロッパ公法秩序には正規メンバーの枠が存在したのですが、そのメンバーがすべて対等だったとはいえません。複数の主権国家が横に並んで競合しているのではなく、ある立体的なシステムが存在したわけです。言い換えれば、ヘゲモニー国が常に存在していた。

イマニュエル・ウォーラーステインの近代世界システム論では除外されていますが、最初のヘゲモニー国はスペインです。ポルトガルとスペインが競合して、最終的にはスペインがヘゲモニーを掌握していく。二番目はオランダです。ネーデルランドはスペイン領、正確に言えばスペインとオーストリアを支配していたハプスブルク帝国の一部だったのですが、八〇年におよぶ独立戦争によって公法国の地位を獲得します。そして、短期間のうちに強大な海上帝国を築きあげた。そのオランダを追い落としていくのがイギリスですが、その過程でフランスとライバル関係に入っていく。そして競合国フランスに勝利したイギリスが第三の、歴史上最大のヘゲモニー国家になる。そして第一次大戦後には、アメリカがイギリスの後を引き継いでいく。ただし、このときにはヨーロッパ公法秩序はすでに崩壊し、ヘゲモニー国の意味そのものが変容していたのですが。このようにスペイン、オランダ、イギリス、アメリカと、一七世紀から二〇世紀にかけてヘゲモニー国は移動してきました。

これらはいずれも海の帝国です。一七世紀以降、ヨーロッパ半島の陸地は併存する主権国家によって完全に分割され尽くし、国家に属さない土地は存在しないことになる。では、海はどうか。領海といって主権国家に所属する海はあるけれども、面積としては広くない近海です。広大な遠洋は基本的に公海で、いかなる主権国家にも属しません。どの国が利用してもいい。ところが、どの国も船を出して走航する権利は持っているわけだけれども、海上へゲモニーを握った国が存在した。海上軍事力が他を圧して強力である国です。

公海ですから、どの国も利用することはできるけれども、戦争状態になったとき、敵国が圧倒的な海上軍事力を持っていると、その国は公海を利用できなくなります。公海の利用を実質的に管理しうる海上覇権国こそ、主権国家の国際体制のヘゲモニー国家でした。それがスペインであり、オランダであり、そしてイギリスだった。海外植民地から収奪した富は、海を経由しなければ本国まで運べません。海上覇権国としてのヘゲモニー国に総括されるものとして、ヨーロッパ公法秩序は維持されてきました。

▼内陸国家の反撃

笠井 海上国家に対して大陸国家、内陸を支配する国があります。例えばロシアは海への出口を持っていません。どうしたかというと、ウラル山脈を越えてどんどん東漸していく形で、中央アジアやシベリアを植民地化していく。オランダやイギリスの海外植民地、海を隔てた植民地とは違って、これは内陸植民地です。本国から陸路が通じていますから、植民地としての意味が違っている。アメリカにも似たところがありますね。アメリカも最初は東部沿岸の小国の連邦でしたが、内陸部の先住民の居住地域を侵略して、陸路で移動できる広大な空間を植民化していく。これは内陸植民地であると同時に国内植民地です。アメリカもロシアも国内植民地国家といえる。そういう歴史的な類型性がこの二つの国にはあって、さらに連邦国家になったという点も共通します。

ウクライナ侵攻で、またしても歴史の前面に躍り出た観のあるロシアですが、この国には他に類例のない独自性が認められます。ロシアもヨーロッパ公法秩序の一国でしたが、イギリスやフランスやプロシャとは性格が大きく異なっていた。ユーラシア大陸に広大な帝国を築いたロシアとは、ある意味で復活したモンゴル帝国でもあるから。近代的な公法国家、帝国主義国家でありながら、かつて存在したユーラシア帝国の記憶に突き動かされる点で、頽落した帝国でもあるという奇妙な二重性が無視できません。ロシアの発想や行動様式を正確に理解するには、このような観点が不可欠です。

話を戻します。公法秩序とヘゲモニー国をめぐる問題で、もう一つ重要な歴史は、内陸国家が海上国家の支配に対して反撃を試みた歴史があることです。フランスも海外植民地大国ですが、イギリスとの海上覇権闘争に敗れ続けてきた。海軍国のイギリスと比較すると、フランスには内陸国家で陸軍国という性格も見られます。このフランスがイギリスのへゲモニーに挑戦した、それがナポレオン戦争です。しかし、陸の国フランスは海の国イギリスに、結局のところ敗北していく。ナポレオン戦争はヨーロッパ公法秩序を襲った最大の危機でした。もしもナポレオンのフランスが勝利していれば、ヨーロッパ公法諸国のメタレヴェルに位置する世界国家が、その時点で樹立されていたかもしれません。

次の挑戦者は第一次、第二次大戦のドイツですね。ドイツも内陸の大国で、プロイセンによるポーランドやバルト海沿岸地方への植民と領土拡張は、内陸植民地化として捉えられる。しかしドイツも最終的にはイギリスとアメリカに敗れ、そして三度目の挑戦がロシア／ソ連ということになります。ナポレオン時代のフランスはともかく、ドイツとロシアによるイギリスやアメリカに対しての二〇世紀の覇権闘争は、ヨーロッパ公法秩序内のへゲモニー闘争の域を脱して、世界国家の座を巡る世界史的闘争に位相変動していたわけですが、そこでも内陸国家による海上国家への闘争という性格は引き継がれていた。内陸国家としては最強のロシア／ソ連が、巨大な内陸国家でありながらイギリスを引きついで最大の海上国家となったアメリカと対決したのが冷戦時代でした。ソ連は冷戦に敗退し、アメリカの世界国家への道が拓かれていく。

こうした流れを背景として、一九世紀までの「保護・限定された戦争」による国際秩序、その二〇世紀的な再編・高次化としての戦争の非合法化や集団安全保障の理念は、アメリカの世界国家化を正当化し、その流れを加速する方向で機能します。「力による現状変更を許さない」という主張は、勝者の既得権を正当化し固定化するものにすぎないと、敗者の側には不満が鬱積していく。第一次大戦の敗戦国ドイツが、そして冷戦の敗戦国ロシア／ソ連がそうだったように。アメリカに従う旧西側諸国は、基本的には冷戦の勝者側に位置して、パクス・アメリカーナとグローバリズムの恩恵に浴してきました。しかし、国際的な力関係でアメリカやＥＵや日本のサイドに立つ諸国が多いとしても、それに従わない国も少なくない。

先ほども触れたように、ウクライナ戦争をめぐる国連のロシア非難決議に反対、あるいは棄権した国が一定数存在します。中国、インド、そしてイランは「反ロシア」の立場を拒否している。ＮＡＴＯ内ではトルコもそうですし、アラブやアフリカの諸国では、公然とロシア側に立つとは言えなくても、どちらでもないという国々は多い。これらの国々は、ロシアを支援することで直接の利益があるとは限らないのですが、アメリカの要求に一から十まで従うわけではない。

そもそも「力による現状変更を許さない」というその「現状」とは、一六世紀以来、ヨーロッパの大国が世界に暴力で強制してきたものではないのか。という旧植民地従属国からの異論に、欧米は次のように反論します。……それは一九世紀までのヨーロッパ公法秩序で、第一次大戦以降の戦争非合法化が民族自決と並行的に提起されたことからもわかるように、とりわけ第二次大戦以降の「現状」は、植民地主義時代のそれと同じではない。たとえば第二次大戦後の独立国の国境も、「力による現状変更は許さない」という国連憲章の理念によって保護されるのだから。

こうした弁明に、第二次大戦後に独立した旧植民地従属国の側、今日のグローバルサウスの諸国が充分に納得するとは思えません。そこには中国のように、二一世紀の地域大国として覇権を確立したいという国もあれば、地域覇権とは無縁ながら、アメリカの世界国家化にも同意しないという中小国も含まれます。

▼二〇世紀の植民地解放闘争はどこに限界があったか

笠井　ヨーロッパ公法秩序の対極に位置した植民地や従属国は、第二次大戦後、中国やインドをはじめとして植民地主義の支配から解放され、新たな独立国家を樹立していきます。しかし、そこには歴史的限界が否定できません。植民地主義からの解放が、基本的には宗主国と同型的な、宗主国をモデルにした疑似主権国家を作ることに帰着したからです。そして国連総会で一国一票を与えられる。旧ヨーロッパ公法諸国も一票だし、新興独立国も一票で平等である。そういうことになるんだけれど、実際には第二次大戦の戦勝国が常任理事国として頂点に居座っている。常任理事国が拒否権を発動すれば、なにも決まらないという、差別と不平等が構造化された欺瞞的なシステムが国連でした。

第二次大戦中から戦後の国際秩序を構想していたのは、ルーズヴェルトのアメリカでした。ヨーロッパ公法秩序においてアメリカは、先ほど述べたロシアの場合とはまた違う意味で、きわめて特殊な地位にあった。そもそも公法秩序の成立期にアメリカという国は存在しません。イギリスから独立した新興国アメリカは、大西洋の彼方のヨーロッパ公法秩序に半ば属し半ば属さないという特殊な関わり方をするようになる。南米やカリブ諸国がスペインからの独立を果たす一九世紀前半、アメリカはヨーロッパ列強とは異なる植民地化の形態を模索しはじめました。その後、キューバは保護領化しますが、これは例外的です。領土的併合あるいは属領化というヨーロッパ列強の植民地体制とは異なる、自由貿易による経済的支配と、それに有益な現地支配装置の間接的な構築という新型の植民地主義が、アメリカの流儀になっていく。第一次大戦後のウィルソン大統領による「民族自決」

は、ドイツ帝国、オーストリア帝国、オスマン帝国が解体した後の戦後構想として提唱されたものですが、同時にアメリカ型の新植民地主義の野望にかなうものでもあった。

第二次大戦後の民族独立と新独立国の群生は、英仏を中心とする一九世紀的な植民地主義の終焉と、アメリカ型の新植民地主義の世界的な制度化の産物で、国連総会はその空疎な晴舞台でした。問題は植民地側の解放闘争が、独立して主権を獲得するところにしか到達点を構想しえなかった限界です。バンドン会議が第二次大戦後の一九五五年に開かれます。中国、ネルーのインド、スカルノのインドネシアのイニシャチヴによるバンドン会議で、米ソ冷戦ではいずれにも加担しないという、非同盟中立路線が提唱されます。ソ連と一体ではないが社会主義国ではある中国は別格として、他のアジア、アフリカ、ラテンアメリカ諸国では擬制的な主権国家体制が疑われることなく、現地民衆は新植民地主義的収奪にさらされていきました。

この民族独立路線にたいして、中国革命をモデルにした民族解放路線が力を増してきます。パルチザン戦争による民族解放闘争、それに勝利して社会主義に進むという民族解放・社会主義の路線です。しかしキューバ、アルジェリア、インドシナなど民族解放路線の国々のほとんどは、共産党が独裁権力を持つ主権国家にすぎない。それで人々が解放されたかというと、たしかに新植民地主義をある程度まで拒否あるいは制限できた点は解放だったとしても、普遍的な解放とはとても言えない現状があります。カンボジアは、そんな「解放」などはやらないほうがよかった、というくらいひどいことになった。「ドイモイ」のヴェトナムは、共産党独裁下の市場経済国に落ち着きました。中国は権威主義的資本主義大国で、これが民族解放路線の「勝利」なのかと、あらためて問わざるをえません。

▼戦後平和主義を超える論理

笠井　日本に限らないことですが、反米を優先するというか、反米を徹底してむしろロシアに接近する、プーチンを支持するような左翼が目につきますね。戦後左翼の一時代が終わったという印象です。アメリカの世界支配に反対するという論理は、もはや批判的な力を持ちえない。二〇世紀の世界戦争に抵抗する論理を二一世紀になっても無自覚に振り回していると、ロシアのウクライナ侵略戦争を容認するという倒錯に陥りかねません。ドイツは軍事予算をGDP2パーセントまで増額するとか、日本政府も同じようなことを言っていますね。世界戦争の敗者だった旧枢軸二国が、世界内戦の時代に備えて八〇年前の敗戦のしがらみから脱しようとしている。それに対する反対運動が国民レベルで起きそうにないのは、この歴史的変動が背景にあるからでしょう。野党が一応反対していても、防衛力強化には賛成だという「世論」のほうがむしろ力を増してきたようです。

なんだかんだ言いながらずっと続いてきた戦後平和主義が、世界内戦の本格化の過程で、いまや息の根を止められようとしている。日本の戦後政治は第一に対米従属／日米安保、第二に戦前復帰／日本帝国再興、第三に護憲／九条平和主義という三つの頂点を持つ三角形のなかで動いてきました。

第一極は戦後八〇年ほどのあいだ、ほとんど不動でした。第二極と第三極の力関係は世界戦争が終結した一九九〇年代以降、第三極が第二極に引きずられる形で加速的に変容し、いまや第三極は消滅の危機に立たされている。改憲が実現されるとき、名実ともに第三極は消滅し、戦後日本政治の三角形は強化される対米従属の論理と、復古反動的な極右排外主義の論理が綱引きをする線分に変わるでしょう。

対米従属／日米安保という不動の第一極ですが、これも変質せざるをえない。冷戦を勝ち抜き、アメリカの世界国家化を支える装置として機能してきた日米安保は、いまや役割を終えようとしています。かつて日米安保は、世界国家をめざすアメリカへの従属を意味しましたが、今後は世界最大の覇権大国として、国家エゴを剝き出しにするアメリカの属国であることを意味するようになる。それ以外に、ロシアと中国に隣接する日本に生き延びる道はないと、国民の多数は漠然と思いこんでいるようです。もちろん、これでいいわけはありません。対米従属と極右ナショナリスムの双方に対立する、新たな第三極を創出しなければならない。

▼「世界国家なき世界」へ向かう具体的道筋

笠井　ウクライナの問題に関していえば、われわれが連帯すべきは、戦争で実際に甚大な被害を蒙っている市民です。爆撃され、砲撃され、銃撃され、拷問され、レイプされているウクライナ民衆のために何ができるのかを、まず第一に考えなければならない。プーチン支持にまで頽落した戦後左翼は、ロシアとゼレンスキー政府、ロシアとＮＡＴＯやアメリカという国家レベルの対立関係しか見ようとしない。ウクライナ国家や、それを支援する西側国家は、プーチンの戦争で殺されている市民の存在の小さな一部しか代表していません。準世界国家アメリカを否定することで、結果的にロシアの侵略戦争を肯定してしまう戦後左翼には、国家に代表されない民衆の存在が見えていない。ということは、すでに左翼を名乗る資格などないということですが。

同じことがウクライナの自衛戦争にもいえます。ウクライナの国家主権と領土を守るという論理には回収されえないものとして、労働と生活の場としての郷土を守るという論理がある。前者は、中央官僚組織と並んで主権国家の柱である正規軍の論理ですが、後者はパルチザンの論理ですね。実際に戦闘状態にあるウクライナ軍にも郷土防衛隊にも、その二つの要素は混在しているはずです。あるいは一人の兵士のなかにも。準世界国家アメリカにも、覇権的な地域大国ロシアにも与しない立場なら、ナショナリズムとは異なる郷土（パトリ）防衛の市民的抵抗を支持し、支援しなければならない。彼らが必要とする武器やその他の援助を引き出しうる限りで、アメリカをはじめＮＡＴＯ諸国も利用できるところは利用しようというに過ぎません。

キーウにロシア軍が迫っていたとき、ウクライナ政府は市民に銃を配りました。正規軍が敗退しても、市民はパルチザン戦争で抵抗を続けろということです。実際、占領地ではパルチザン的抵抗が行なわれている。パルチザン戦争を戦った市民は、戦争が終わっても、侵略者と戦った武器を手離すべきではない。問題は主権権力に対する民衆の権力、自己権力の形成にあるのだから。ウクライナ戦争もまた、一七世紀以来の主権権力による国際体制が高度化していく過程で生じた事態です。ロシアの侵略にウクライナの国家主権が対抗するという発想では、かつての植民地解放運動と同じことが繰り返されるにすぎません。ウクライナでもロシアでも、あるいはＮＡＴＯ諸国でも、下からの自己権力の運動を展開し、大小無数の自治／自律の自己権力体が縦横に連合する形で主権権力を無化していくことこそが、世界国家なき世界社会への具体的な道筋です。

そんなことは無理だろうと言われるのですが、たとえばイラク北部にはクルドの解放区があります。そこを治めているクルド民主党は、クルド人の主権国家を作ろうとはしていません。自治区に住んでいる民衆の自己統治、自己権力を守ろうとしている。メキシコのサパティスタと並ぶ注目すべき試みです。二〇一一年にはアラブの春からウォール街占拠まで国際的な同時蜂起が生じました。それを引き継いで活動をしている各国のグループが、クルド自治区をホイールの軸として国際的に連結しはじめてもいる。この点からして、フィンランドとスウェーデンがＮＡＴＯ加盟のためトルコの要求を呑んで、クルド人亡命者を抑圧、迫害する方向に舵を切った点は問題です。イラクのクルド民主党とトルコのクルディスタン労働党（ＰＫＫ）は別組織ですが、イラクからのクルド人亡命者もヨーロッパには多いから。ちなみに日本にもクルド人の難民は多く、排外主義的な入管体制の抑圧にさらされています。

いきなり世界内戦下での自己権力的な解放区とか、パルチザンとかいわれても現実感が湧かないとは思いますが、それに通じる活動は誰でも、どこでも、いつでも可能です。まずは主権権力の論理には属さないものとして、三人でも五人でも一〇人でも自律的な集団を作るところからはじめる。佐藤さんの「飢餓陣営」のように、たとえ一人でも集団は作れます。目的は経済的な相互扶助から趣味の共有まで多様でかまいません。思い返せば第二次大戦後の日本では、それこそ大小無数の自律的な集団が、泡が沸き立つように生まれ、縦横に連合するという光景が見られました。学生の自治会も労働組合も、そうした運動の一部だったのです。先ほど述べた日本政治の第三極は、長いことそれに支えられてきたのですが、連合の体たらくに歴然と示されているように、戦争直後からの遺産はもう喰い潰されてしまいました。

▼再軍備路線に対抗しうる論理は可能か

笠井　防衛力の強化、自衛隊の国軍化、そういった流れが加速する反面、それへの戦後革新勢力以来の抵抗力は不可逆的に弱体化しています。一九八九年の社会主義崩壊からの三三年は、世界的にはアメリカの世界国家化の消長の時代でした。それに対応するように、日本では保革補完体制としての五五年体制が崩壊し、「政権交代可能な二大政党制」を合言葉とする政治再編がはじまります。しかし準世界国家アメリカの斜陽を反映して、日本でも政権交代可能な野党建設をめぐる一時代は、もはや終わったと考えるべきです。これからは一〇年、二〇年という中期的な射程で、議会政治の世界では保守一極体制が続くでしょう。改憲や再軍備の現実化は、世界内戦状況の反映として捉えなければなりません。

それに対してどうするのか。九条平和主義や非武装中立に連なるような旧態依然の主張では、もはや国会の三分の一の議席が確保できないとすれば。国民的な世論にしても同じことで、こうした状況のもと、自民党の再軍備路線に対抗しうる論理はどのようなものとして構想しうるのか。

戦後政治の第一極の法的表現は日米安保条約と日米地位協定、第二極の戦前回帰は憲法一条の象徴天皇条項、第三極の戦後平和主義はいうまでもなく憲法九条の戦争放棄条項です。ようするに日米安保と戦後天皇制と戦争放棄は三位一体をなしていて、切り離せません。九条平和主義の戦争放棄がまがりなりにも維持されてきたのは、日米安保が存在したからで、旧社会党の非武装中立路線の空論性は、社会党支持層の大多数もよく知っていました。社会党の非武装平和主義は、自民党の改憲再軍備派による暴走の歯止めとして、消極的に受け入れられていたにすぎない。冷戦の終結は社会党の事実上の解党をもたらし、アメリカ「独覇」時代を挟んで、いまや世界内戦の時代が到来している。これまでのような対米従属と九条平和主義の使い分けは不可能で、この事実に国民の多くは半ば以上も自覚的です。防衛と軍事の問題について正面から思考し、自民党とは違う選択肢を提出しなければ、改憲再軍備派による選択肢の一択になってしまう。

立憲民主党などの野党は政府自民党に、防衛予算増額ありきではなく、なにが必要なのかを先に議論すべきだと言っています。しかし、言っているだけで、二一世紀日本の防衛戦略が構想されているわけではない。立憲野党に期待するというリベラル派の学者や知識人にしても同じことで、これでは自民党が持ちだしてくる予算案を多少値切る以上のことはできません。では、どうすればいいのか。

▼国家を守る国防軍か、市民を守る市民軍か

笠井　永世中立国のスイス国民は国防に徹底して自覚的で、「スイスに軍隊はない、スイス自体が軍隊なのだ」といわれるほどです。今日のヨーロッパでは例外的に国民皆兵のもと徴兵制が敷かれ、四〇〇〇人の職業軍人と二一万の予備役が存在します。ルソーの社会

契約論の背景をなしたジュネーヴの共和制の歴史を引き継いで、今日でも連邦制スイスは主権国家の鋳型に完全には嵌まらない統治形態を備えていて、国防や軍事もそれに対応している。スイスを理想化することはできませんが、日本の防衛を構想する上で参照すべき事例ではあるでしょう。

われわれ一人一人が外敵に対抗する。侵略から自分を守り、家族を守り、郷土を守る。そのためにはどのような防衛体制が求められているのかを考え、できるところから実行する。税金としてカネだけ出し、あとは職業軍人に丸投げということではすまない。そもそも市民革命の主体として発見された人民（ピープル）とは、専制権力に対して武装した市民の集団でした。

携行可能な小火器しか装備しえない市民のボランティア軍では、敵国の大規模で高度な常備軍の侵略に対処しえない、という常識が議論の前提とされてきましたが、本当にそうなのか。二一世紀に入ってからも、世界最強の軍隊を敗北に追いこんだ事例が存在する、アフガンですね。

自衛隊が軍隊かどうかという議論はともかくとして、陸海空の正規軍が侵略軍を海岸線で撃退できれば、それに越したことはないけれども、そうでない場合はどうするのか。国内で戦闘を続けながらアメリカ軍の救援を待つと言うけれど、世界内戦国家と化したアメリカがまず考えるのは、自国の利益です。場合によっては、日本を見棄てるかもしれない。実際、日米安保条約に違反せず、しかも日本に軍隊を送らない選択肢がアメリカにはある。そのときどうするのか、それで終わりなのか。

問題は侵略軍に占領された後です。全部占領されてそれで終わりかと言えば、そうではない。そこから始まるのです。われわれが実際に暮らしている場所、われわれの生存と生活を守るための抵抗戦が。侵略軍や占領軍に対する一〇年、二〇年、あるいはそれ以上の抵抗戦を持続できるかどうか。アフガンでもイラクでも、住民の過半が占領軍の支配を認めることなく、レジスタンスを続けるなら、占領体制は維持できなかった。そういう事例が現に存在しています。

砂漠や荒地ばかりのアフガンやイラクと日本では条件が違うとか、そんなことを言い出す連中が必ず出てきます。ヴェトナム戦争のときもそうでした。三島由紀夫は、ヴェトナム人は本土決戦を戦っていると民族解放戦線を賞讃しました。しかし、ヴェトナムにはジャングルがあるからゲリラ戦ができるが、ジャングルのない日本でそんなことは不可能だとか反論する者もいた。ヴェトナムにはジャングルがあるからだとか、アフガンには荒地があるからだとか、自然条件の相違を持ちだして、日本でのパルチザン的な抵抗戦の可能性を否定するというのは、ようするにやる気がないというだけのことです。そこまで腹をくくって侵略に備えるのでなければ、高価な最新兵器をいくら揃えても外敵に屈服する結末は見えている。

この日本の自然条件と社会条件を前提として、どのようなレジスタンスが可能なのかを検討し、占領された後に始まる抵抗戦争、解放戦争をいまからどう準備していくのか。そのことを真剣に考えるべきです。敵基地攻撃能力の獲得とか自衛隊の国軍化とか、改憲再軍備派の防衛プランに、われわれはわれわれ自身が守るという覚悟を大前提とした、正規軍の敗北と敵軍による占領後も持続できるような抵抗戦のプランを対置しなければならない。それが自衛、防衛の基本じゃないですか。防衛を主権権力である国家に預けて、自衛隊が何とかしてくれるだろうとか、アメリカが何とかしてくれるだろう、などと考えるとしたら、侵略に対して戦う前から負けています。

ウクライナ戦争に触発されて、フィンランドや台湾では軍事訓練を希望する市民が増えている。日本でも同じことがなされてしかるべきですが、その際も国家防衛派と市民防衛派とでは立場が違う。正規軍の補完としてボランティア兵を位置づけるのか。そうではなく、正規軍がいようといまいと自前で戦える市民軍を組織するのか。国家主権とナショナリズムを振りかざす改憲再軍備派に、ここでこそヘゲモニー闘争を挑まなければならない。スイスでは軍用銃が各家に備えられていますが、日本では「一家に一台ＲＰＧを」です。ＲＰＧというのは携行ミサイルのこと。それを一家に一台配布する。ゲームセンターを改造して、一カ月に一度は、そこでジャベリンを撃つシミュレーションをする。軍事ドローンの操縦も。

冗談に聞こえるかもしれませんが、このように問題を立て替えないといけないということですね。自衛隊をどう評価するかとか、国防予算をどう増やすかとか、そういう発想はもうやめて、市民が自衛する。その体制を今からどう整えるか。われわれが世界内戦を生き延びるための議論をはじめることなく、ただ反対だと言っている限りは、自民党の二一世紀的な改憲再軍備路線に押し切られていきます。

国家を守る国防軍か、市民を守る市民軍か。この選択を正面から提起しなければならない。市民軍の本格的な組織化に向けて構想を練る必要があります。個人や家族、自律的な民間組織を基礎的な戦闘単位として位置づけるとか、それを自治体ごとに集約するとか。絶対主義の常備軍以来の中央集権的な軍隊に対する、分散的で自由に運動する小規模な戦闘単位が、必要な場合は集結して戦えるような下からの組織。反復訓練によって、規範を内面化し身体化する規律訓練システムは、軍隊からはじまって監獄や病院から学校や工場にまで広まったわけですが、それとはまったく異なる分子的な戦闘主体を産出しなければならない。自衛隊の国軍化に九条平和主義を対置するのではなく、現代的な戦争機械としての市民軍の組織化を対置すべきです。

▼自衛・防衛と非暴力の思想

――ありがとうございます。笠井さんにインタビューをさせていただくと、世界史というものの面白さが、すごくよく伝わってきます。同時に、世界史というのは戦争の歴史なのだと（日本史もそうなのだと思いますが）、心の底から感じます。そして改めて思うのは、日本の「戦後七五年」という時間が、いかに特殊なものだったかということですね。私たちはすっかり慣らされていますから、これまで置かれてきた状態が不思議だとも何とも思わなくなっているのですが、まったくそうではないんだということですね。それでいまのお話の、これから自衛の問題をどんなふうに考えていくのかということは、実際上の問題としても思想の問題としても、ウクライナ戦争が突き付けてきたことの一つは、そのことでした。

もう一つ、前回の笠井さんへのインタビュー以来、私の宿題が、ガンジーの「非暴力の闘い」についての笠井さんの指摘でした。ガンジーの非暴力も暴力の一つのかたちだ、というものですね。これには非常に蒙を開かれ、それをきっかけに「非暴力」について考えてきたのですが、すると突然、ウクライナ戦争が始まりました。

そこでは人がどんどん殺されていく。戦闘員も非戦闘員も区別がない。まず考えたことは、「非暴力の抵抗の思想」というのは平時の思想であって、戦争が始まってしまうと、武器を取って闘うか、逃げるか、無抵抗のままに殺されるか、基本的にはこの三つしか選択肢はない。三番目は論外ですし、ガンジー思想にあっては、無関心とか、逃げるとか、無抵抗というのはどうも認められていない。されるがままではなく、かなりラディカルな不服従の思想のようです。「自分たちのことは自分たちで守る」、つまり武器を持つという自衛の思想と、「非暴力直接抵抗の思想」が、どうしたら折り合いをつけられるか、そこをどう結べばいいのか、うまく整理できないまま、私の中で激しく衝突しています。ウクライナ戦争で宿題がまた一つ増えたように感じているのですが、この点について、笠井さんのお考えをお話しいただければと思います。

笠井　以前にも話したとおもいますが、この世界に「非暴力」は存在しません。世界はさまざまな「力」の交錯する場で、その「力」のある現れ方が暴力ですから。世界から暴力を根絶することは不可能であって、できるだけ破壊的ではない形にどうコントロールできるのか、それが基本的な考え方だろうと思います。たとえばＤＶでも、手を出さなければ暴力ではないのか。言葉の暴力、態度の暴力、関係の暴力というものがあるというふうに、ＤＶの捉え方も現実に即して変化してきました。ガンジーの不服従は、もちろんＤＶとは正反対のものですが、権力の暴力には、いわば不服従という態度の暴力で対応することでしょう。いわゆる「非暴力」は「暴力」の反対概念ではなく、可能な限り非破壊的であろうとする「暴力」の一形態です。

ガンジーは、あるいは不服従の非暴力抵抗者は、敵の暴力を引き出すわけです。敵を挑発し、権力に屈従していれば殴られないのに、あえて殴られるようなことをする。殴られるのを見せて、人々の憤激を掻き立てる。そういう戦術です。まったくもって暴力的な戦術です。こちらが殴らないという意味では非暴力ではあるけれども、殴られるよう仕向けるという点では暴力的なのです。だから銃には銃で、というストレートに暴力的な抵抗と比較して、いわゆる非暴力の直接行動で闘うというのは、より強固な決意と高い倫理性が求められる。少年時代、わたしは鶴見俊輔さんたちが呼びかけた非暴力反戦行動委員会のネットワークに入っていました。北爆に際してアメリカ大使館横で坐り込むなど、鶴見さんをはじめとする大人の文化人、知識人は市民的不服従、非暴力直接行動を実行していたのですが、当今の非暴力派の多くは口先だけという印象です。ウクライナ人に抵抗のためでも暴力はやめろ、抗戦はするなと説教する人は、まず自分がロシア大使館前に逮捕されるまで坐り込んだらいい。

ガンジー主義的な戦術が有効な局面はあります。しかし効かない局面もある。建前的にでも人権を意識した二〇世紀のイギリスが相手だから有効だったので、一八世紀、一九世紀のイギリスだったら非暴力の抵抗者は皆殺しにされて終わったでしょう。プーチンのような人権など歯牙にもかけない独裁者にガンジー主義的抵抗の有効性は少ない。プーチンが支援したシリアのアサドはさらに凶暴で、二〇一一年には非暴力的な大規模デモが起きたのですが、デモ隊に機関銃を撃ち込むような無茶苦茶な弾圧が続き、パルチザン戦争で抵抗することになったのです。しかしシリア内戦には、ISやイラン、ロシア、トルコ、アメリカなどの諸国が直接間接に介入してきて、そこにパルチザン化した民主化運動も巻き込まれてしまった。まさに世界内戦そのものという状況です。そして唯一残ったのが、先ほど言ったシリアのクルド民主党の自治区でした。

だから原理化して、どんな局面でも軍事闘争しかないというのも、反対に非暴力しかないというのも間違いです。アサドのような凶暴な権力にたいして、非暴力しかない、非暴力で闘えと、しかも安全地帯に身を置いた人間がいうのは、無責任を通り越して思想的退廃ではないかと思います。

――確かに「非暴力」という言葉を無媒介に使ってしまえば、そういうことになりますね。「不服従の抵抗思想」という言い方をしたほうがいいのかもしれません。

笠井　武装闘争や軍事闘争が存在するためには、もっと広く深い土壌として、非暴力的な抵抗があるはずです。それがないところで武装闘争だけをやることは不可能ですから、この二つは矛盾しません。例えばフランスの第二次大戦のレジスタンスではサボタージュ[*1]、破壊活動がおこなわれました。見えないところで反ナチの落書きをするとか、日常的にそうした抵抗がさまざまになされていて、その上でサボタージュという軍事的な抵抗も可能になる。ただしナチの占領下では、集会やデモという常識的な抵抗は不可能でした。どんな戦術が有効なのか、具体的な状況に即して判断しなければなりません。軍事闘争から合法的な集会やデモ、あるいは落書きや組織的な流言まで多様な戦術が存在し、違法行為として弾圧される直接行動はその中間に位置します。

外交的に回避する努力をしてみても、軍事侵略は阻止できないかもしれない。たとえばウクライナのような状況になったとき、どうするのか。多様な水準での抵抗が必要です。誰がどういう任務を分担するのか。それは具体的に決まっていくことであって、一般的にこうだとはいえません。ただし、もっとも直接的な実力による抵抗戦や軍事闘争も、視野に入れて準備しておくべきです。

暴力と二項対立的な非暴力は存在しませんが、それでも非暴力への意志は存在します。たとえばイエスやブッダの教えに。世界帝国はいわば暴力の普遍性の凝縮体ですが、その下で、それへの抵抗として誕生した世界宗教には、暴力の存在しない世界への祈念がある。物質界、生命界、人間界はいずれも力の作用する場ですから、宗教的な非暴力の祈念は非在の世界、この宇宙の「外」に向かわざるをえません。宇宙の「外」に向かう意識は人間精神の必然だとしても、これを社会思想の領域に無反省に持ちこめば見当違いな結果になります。非暴力の領域は存在革命と自己革命の圏域では問題になるとしても、社会革命の領域には属さないのです。もう一点、外部の思考という点でシモーヌ・ヴェイユの非暴力論と、ジョルジュ・バタイユの暴力論は二〇世紀思想としては双璧です。この二人には親交があり、たがいに批判や皮肉の応酬をしているのですが、それを単純な対立と見ることはできません。キリスト教神秘主義に接近していくヴェイユ的な非暴力と、無償の消尽としてのバタイユ的な暴力は、ともに二〇世紀的な外部の思考から生じています。いずれにしても、非暴力を巡る祈念や意志と、非暴力直接行動の非暴力とは分けて考えなければなりません。繰り返しますが後者の非暴力は、ガンジーやキング牧師のそれをふくめて、この宇宙に内属する限りでは暴力の一形態です。

▼「戦争」から疎外されてきた世代

笠井　その関連で、最近考えていることがあります。日本の戦後生まれは、戦争から疎外されていた。同世代のドイツ人やアメリカ人、フランス人の場合には徴兵制があった。アメリカは実際に戦争をしたから、われわれと同世代の多数のアメリカ青年が、徴兵されてヴェトナムに行っていますね。戦場に行っていないにしても、当時のフランスやドイツには徴兵制がありました。学生は徴兵免除になる場合が多いとしても、軍隊に行った友人がいるというのはごく普通のことです。

だから彼らにとっては、軍事的な常識を持つことから武器の操作法まで、戦争にまつわるもろもろは日常的なことでした。しかし日本の戦後世代は、いわば戦争にかんして無菌状態で育ってきた。ようするに戦争から疎外されていた。

戦争から疎外されていたがゆえに、そのなかの政治的に鋭敏な一部が、今度は戦争に向けて疎外されていく。つまり赤軍派の革命戦争ですね。戦争に対する二重の疎外が、われわれの世代にはあったんじゃないか。だから革命戦争をやるんだと決意しても、もともと戦争から疎外されているから、やり方がわからないわけです。とりあえず決意と根性で押し切ろう、と思ってもどうにもならなかった。

最近、重信房子が獄中から出てきましたが、戦後生まれの日本人でもパレスチナゲリラのキャンプで軍事訓練を受ければ、当時の国際常識程度の都市ゲリラ闘争はできるようになる。連合赤軍のように、はじめる前に自己崩壊することにはならなかった。この点では、日本赤軍の存在には意味があったと思います。ただし、それが政治的に有効だったかどうかは別問題ですね。一九六〇年代の第三世界革命と、それに連帯して西側先進諸国でも武装して闘おうとした新左翼の闘争は、いろいろな意味で限界に逢着し消滅していきました。ようするに敗北したわけですが、その敗北を乗り越えて、二〇一一年以降の大規模国際蜂起が起きている。

戦争からの疎外を前提にした九条平和主義は、もう抵抗の原理にならないでしょう。戦争からの疎外と戦争への疎外を超えていく具体的な展望を出していかなければ、自民党右派、改憲再軍備派を中心とした勢力に、際限なく押しまくられていくしかないと思いますね。

▼台湾問題について

——戦争から疎外されている、ということを私なりに言い換えると、防衛問題や平和維持に関しての「実行できる代案」を考えることそのものがタブー視されている。戦争をリアルに考えることがタブー視されている。そういう状況だろうと受け止めたのですが、たとえば今回のウクライナ問題が起きたときに、同時に中国の台湾侵攻の可能性はどうかということが取りざたされました。

ある記者会見の際、バイデン大統領は中国による台湾侵攻があったとき米軍は介入するのかと問われ、「イエス」と即答し、アメリカ政府が慌てて火消しに走ったという一幕がありました。中国は台湾の次は尖閣を狙い、さらには沖縄だと。領土的な野心とともに、太平洋への安定した突破口を作りたがっている。こうした中国の「脅威」は以前から言われていたと思いますし、現実問題として、それに対抗するために、先島諸島の軍事基地化が急速に推し進められています。一方で、沖縄を再び戦場にするのか、そうやって中国の「脅威」を煽りたてることこそが、東アジアの緊張を高めるのだという反論も、とくに左派の側から根強く出され続けてきました。
　今回のウクライナ戦争で、これまでの均衡が破れたと言いますか、沖縄を要塞化しろという議論ではなく、この問題をどこまでリアルに考えることができるのか。笠井さんの議論を台湾問題に移したときに、どう考えられるのか、この点についてお話しいただけませんか。

笠井　いつどんなふうにして起こるかはわからないけれど、台湾侵攻はありうるという前提で考えるべきですね。そのとき、アメリカが地上軍を台湾に配置するということは、まずないと思います。参戦するとしても海空軍でしょう。台湾海峡を中国軍は渡らなければいけないわけで、そこを叩くことができれば、台湾としては闘いやすい。アメリカがやるとしても、それが限度だと思います。
　しかし、それもやらない可能性もありますね。その時にまたトランプ政権だったらどうなのか。トランプは一国主義だから、台湾の頭越しに中国とディールして、それで儲かるなら台湾侵攻なんか放っておけということになりかねません。でもトランプですからね（笑）、反対にどんどんやれ、海兵隊も台湾に送れということになるかもしれない。プーチンもそうでしたが、最近は、行動の予測が困難なリーダーが最高権力を握ることが稀ではない。

そうなったとき、われわれはどうするのか。台湾侵攻を黙認できるかといえば、それはできないのではないか。台湾の人々が抵抗するのであれば、できる限りの援助はしなければならない。日本が戦争に巻き込まれるから、中国の台湾侵攻は黙認しようという「平和主義者」も出てくるでしょうが、そうした一国平和主義は世界内戦の時代には通用しません。

▼自衛隊を国連軍として再組織するというプランは可能か

――（杉山）「飢餓陣営セレクション」（『沖縄からはじめる「新・戦後入門」』）を、弊社で作らせていただきました。そのとき加藤典洋さんは、「国際主義」で改憲論議を乗り越えるんだという考えを述べられたと思うのです。つまり国連を改革することを前提に、日本の自衛隊を国連軍として差し出して、国連の一部として自衛隊を再編成する。そういう考えだったと受け止めているのですが、そうやって自民党的な軍備の考え方に抵抗していく。攻められたら国際社会として反撃するという、そういう論理を構築し、現実行動につなげていく。それは国家の上に国連というメタレヴェルの世界国家を構築するということになり、笠井さんはナンセンスだと考えられると思いますが、まず、この辺についてお伺いできればと思います。

笠井　加藤さんの主張は、社会契約論の国際版ですね。いわば諸国家による社会契約体、ホッブズの言葉で言えば擬似的なコモンウェルスとして国連を位置づける点で。すでに述べたように、このような国連観は夢想的なフィクションで、現実的な根拠はありません。ホッブズもルソーも、既に存在している国家の起源を理論的に考察して、社会契約というモデルを提出したわけですが、契約国家論に対して征服国家論がある。

現に国家が存在しているのは事実です。なぜ存在しているかというと、簡単に言えば闇市にやくざが乗り込んできて支配する、みかじめ料を取るのと同じだというのが征服国家論です。征服共同体という強盗集団が、みかじめ料の代わりに税を徴収する。こちらのほうが国家論としては説得力がある。征服国家論の立場からすると、民主国家というのはフィクションです。民主国家の外観を取ってはいるが、国家である以上、本質は非民主的である。征服国家は、支配に有利だから民主国家のかたちを取ろうとする、そういうことだと考えます。

もしもデモクラシー、すなわち人民（デモス）の権力（クラトス）を形成するなら、上からではなく下からでなければならない。たとえば、まず家族です。家族内の関係が民主的であるかどうかを考えよう。そうすると家父長制はおかしいということになるし、いろいろと生活を変えなければならないことがわかる。まずはそこから変える。

次は働いているところ、職場です。職場を民主化する。株式会社の根本的な民主化は不可能ですから、株式会社はやめて協同組合企業にするとか。最終的には業務命令という一方向的な権力行使を正当化する雇用契約、労働力の商品化を廃止しなければなりません。

そんなふうに下から民主化を実現し、自治と自律の自己権力を積み重ねていくことによって、より広域の民主的な連合が、つまり自己権力体の連合ができていく。主権を独占した国家があって、これを民主化すれば社会全体が民主化される、そういう発想は逆転しなければならない。

国連に自衛隊を預けるという加藤典洋の提案ですが、大前提は国連改革ですね。いまのままでは、ロシアが常任理事国なのにそこに自衛隊を差し出してどうするんですか、という話です。ロシアが常任理事国のポジションを手放すわけはない。そうすると今の国連をいったん解体して再組織をする。それ以外の方法はないと思うのですが、そういう具体的なプランを加藤さんは語りません。彼が考える国連というのは、現実の国連とは違う理念的なものだとしか思えません。

アジア太平洋戦争の終わり方、終わらせ方に、なにかしら根本的に不健全な、歪んだところがあった。それが日本の戦後社会に歪みをもたらし続けているという発想は、たとえば敗戦直後の時期に坂口安吾が『堕落論』で語っています。吉本隆明や江藤淳がそれに続き、六〇年代後半には三島由紀夫と全共闘が戦後社会を行動的に否認した。戦争から疎外された青年たちが戦争に疎外されていった結果としての連合赤軍事件も、この社会病理の反映でした。『アメリカの影』以来、加藤典洋はこうした戦後思想というか、戦後批判思想を引き継いでものを考えてきた。その点は同世代として共感するのですが、主権国家という枠組みそのものを疑わない点で、立場が根本的に相違してくるように思います。

▼「逃げる」という選択肢をめぐって

――（杉山）次の質問ですが、ウクライナ戦争が始まったときのぼくの感想は、「逃げればいいいじゃないか」というものだったのです。戦争で死ぬのは、民衆であり兵隊なのだから、とにかく死ぬ人間を減らすにはどうしたらいいかというと、停戦に向けて国際社会が全力を挙げるというやり方がいいんじゃないか。どんどん撤退してもいいじゃないか。亡命政府を造ればいいじゃないか。迂闊に言ったら総スカンを食いそうな話ですが、そんなことを考えたのですがいかがでしょうか。

笠井　この戦争にかんして、ウクライナ政府に求めることが二つあります。一つはドンバス二州に関して、いまは人口が散りぢりになっているので難しいですが、公正な住民投票で帰属をウクライナにするかロシアにするか、あるいは独立するのか決めること。これはウクライナに限ったことではなく、スコットランドもカタルーニャも同じ。もちろん同じことを、たとえばチェチェンのような例にかんして、ロシアにも要求していく。主権国家の原則は、領土を絶対に手放さないということですが、そこから国家主権を相対化していく。もう一つは、成人男性の出国禁止を撤回しろということです。逃げたい人は逃げていい。この二つはウクライナ政府に対して求めるべきだと思いますね。いずれもウクライナのナショナリズムからすれば容認できないことでしょう。しかし、われわれはウクライナ国家を守る戦争を支持するわけではない。市民自身を守るための、ウクライナ市民による抵抗戦争を支持するという立場からすれば、これは譲れない主張です。

ただし、それでも逃げないで闘う人はいる。当然のこと、その立場も認めなければならない。もしも逃げれば、労働と生産の場を離れ、故郷と家や財産を棄て、これまでの生活を断ち切って難民になる。これは大変なことですよ。難民になれば安住の地もなく、生計の道は絶たれ、子どもが学校に行けるかどうかもわからない。どうやって暮らしていけばいいのかもわからない。そういう立場を選ぶより、不当な侵略者に闘いを挑むという人は当然いるわけです。そういう人たちにも闘うな、逃げろと、第三者が安全な立場から得々と説教するのは、いったいどういうことなのか。

投降しろと言っている人もいますね。投降したらその後の生活がどうなるのか、占領地での虐殺や弾圧を考えていっているのかということです。殺されなくてもシベリアあたりに強制的に移送されるわけです。

――（杉山）現実的ではないと思いつつ、俺は死にたくないという論理をどこまで貫くことができるのか。それを知りたくてお聞きした次第です。

笠井　自分は逃げる、という人がいていいいんだと思います。ある場合には、わたし自身もそう判断をするかもしれません。しかし、逃げることを原理化し一般化して、だれもが逃げなければならないというのは倒錯でしょう。

▼日本では、パルチザンの組織化はどこまで可能か

――（杉山）自分たちで武器を持ち、下からの組織をつくって戦うということが、果たして日本でできるのかという点はいかがですか。具体的にイメージしてみると、例えばぼくは地元の自治

会に入っているのですが、自治会が武器を持って戦うということがありうるのだろうか。なかなかうまいイメージを持てないのですが。

笠井　ネオナチだとプーチンに言われている、アゾフ連隊があります。たしかにネオナチが作った組織ですが、今日の時点では全員がネオナチだとはとても言えません。国家親衛隊に編入された後はネオナチ色を消そうとしています。その母体は何かというと、サッカーのウクライナチームのサポーターなんですね。どの国でもそうですが、サッカーのサポーターはおうおうにして暴力的だったりします。フーリガンです。チームと一緒に他国に遠征に行って、ホームチームの応援団と乱闘をくり返している。そのためには団体旅行の手配をするとか、共通ユニホームを作るとか、必要な資金をカンパで集めるとか、いろいろと業務が必要です。事務所を構え、ボランティアが常駐し、日常的に精力的な活動をしている。いわば趣味の集まりが、ユーロマイダン革命の武装蜂起をきっかけとして軍事的に再編成され、ドンバスで分離派民兵やロシアの傭兵と戦闘をするようになる。

二〇一三年に新大久保で「在特会」の排外主義デモと対決した「レイシストをしばき隊」の中心は、もともと洋楽ファンのネットワークでした。リーダーの野間易通さんは、洋楽に詳しいフリー編集者です。その周辺に何十人かの人が集まり、それがしばき隊になったのです。規模の大小はともかく、趣味の会から抵抗グループが形成されるという回路には、アゾフ連隊と共通するところがありますね。

普段から集まってワイワイやる。集まるための場所の設定やその他、組織性と実務を達成する能力がある。共同性と団結力がある。そういったグループが母体になるのがいいんじゃないでしょうか。地域の自治会や職場の労働組合は、二〇世紀の前半までは力を持っていたとしても、二一世紀はもう誓約性が薄れてしまっている。それよりも趣味の集まりのほうが、誓約性や組織性、機動性が高くなっている傾向があります。だから、いま言ったような事例が目につくようになってきた。

たとえば「オタク」は同人誌を作りますね。何十万人も集まるコミケというのは同人誌の即売会です。雑誌を作るためには人が集まって、資金を集め、それぞれが原稿を書かなければならない。そういうことを誰に頼まれたわけでもないのに、自分たちの趣味としてやるわけです。コミケで店を出すためには応募をしなければならないというような、さまざまな手続きが必要になったりする。オタクが政治化すると、表現の自由をめぐってネトウヨ化することが多いという問題がありますが、いずれにしても趣味のグループの政治化が、政治をめぐる二一世紀のポイントではないだろうか。ぼくも読書会など趣味のグループで合宿をしたりするので、そうした大小無数のグループが最小単位となるようなボランティア的な抵抗運動は構想できないだろうかと……。

――（杉山）ぼくは草野球のチームにも入っているのですが、もしそれが政治組織化されるとしたら、悪しき共同幻想と言いますか、右翼的な体質の濃いものになるんじゃないかと感じるのです。変な組織は嫌だな、いやな奴に命令されたくないなと思うのですが。

笠井　リーダーは単位ごとに選挙で選ぶことになります。だから上官からの命令はないのです。それから辞めたい人は辞めていい、そこは重要です。ただし、やると言ったメンバーが急に気が変わり、突然やめたということになってしまうと、その穴埋めがとても大変になる。戦闘組織の場合では、それで多くの命が危険にさらされるかもしれない。

たとえば政治組織だったら、党員は一年で資格を更新する。特殊な事情があれば別ですが、約束した一年は途中で飽きても、厭になっても我慢して続ける。ただし、原則としてはやめてもいい。この原則を守るためのシステムを構想し、整備することが必要です。たとえば主権国家からの逃亡者や反逆者であるカリブの海賊たちは、自己権力を組織していました。ようするに海賊船は民主的に運営されていた。しかし海賊旗を揚げて戦闘状態に入ると、リーダーの命令は絶対になる。敵を前にして合意に至るまで討論を続けるわけにいきませんから。戦闘が終わると、リーダーの命令権も失われるという具合です。それでも私掠船の戦闘力は高かった、国家海軍の中央集権的に組織された軍艦を、ある時期までは圧倒するほどに。

連合赤軍事件について長いこと、いろいろと考えてきた経緯があるので、逃げたいやつは逃げていいんだということが、大前提でないようなボランティア軍、パルチザン組織でないとダメだと思いますね。市民のボランティア軍を構想する上で、この点は絶対に譲れない原則です。

▼ロシアの核使用をめぐって

――この辺でウクライナ戦争に話を戻します。今回の戦争で、これまでにはなかった点だと感じる特徴がいくつかありました。

一つが、核の脅威が現実性を帯びたということです。プーチンは、たびたび核使用をほのめかす発言をしていましたし、ウクライナの原発施設が軍事攻撃の対象となり、占拠されるという事態も引き起こされました（あれはすぐに、日本の原発事情を想起させました。日本海の敦賀湾にあれほど原発を並べておいて、核の共同使用も何もないだろうと痛感しました。原発を二、三基押さえられたら、もう日本はアウトです）。

アメリカは早々に軍事介入をしないことを告げましたが、第三次世界大戦への拡大を懸念していること、そうなると戦術核が実際に使用されることになりかねないこと。アメリカ、NATOにとっては、ロシアの核攻撃がいかに現実的な脅威として受け取られているか、そのことを感じさせました。軍事衝突のさいには核兵器の使用が格段に可能性を増した、という危惧が高まったと感じます。この点に関して笠井さんはどう考えておられるか、これが一つ目の問いです。

もう一つは、メディア戦略が格段に「進化した」という言葉が適切かどうか、ゼレンスキー大統領とウクライナのメディア戦略を見ていて、これまでにない大きな変容を感じます。ロシアの非道と戦争犯罪が繰り返される卑劣さを強調し、自分たちはそのようなロシアから国を守るために徹底抗戦をするのだと繰り返し訴える、各国の議会に乗り出してスピーチを続け、国際世論を味方につけながら戦争を遂行していく。こうしたメディアを駆使した戦い方も、今回の戦争の特徴ではないかと感じました。

それからプロパガンダは、アメリカにしろロシアにしろ、もともと戦争には付きものだったと思いますが、ソーシャルメディアを駆使しながら、報道それ自体のプロパガンダ化がエスカレートしていく。戦争報道というのはおしなべてプロパガンダではありますが、それにしても「客観報道」というものが果たして存在しうるのか、ＮＨＫのニュース報道を見ていると、西側のプロパガンダ報道ではないかとそんなことを強く感じさせることがありました。二つ目が戦争とメディアという問題についてです。

　この二点についてお話しください。

笠井　核問題に関して言うと、全面核戦争寸前だったキューバ危機を教訓として、冷戦後半の時代は相互確証破壊という核戦略が支配的になります。潜水艦発射弾道ミサイル、ＳＬＢＭが大量配置されるまでは、先制攻撃によって敵の陸上核ミサイル基地を全滅させれば勝利できる、という先制攻撃戦略があったのです。しかし潜水艦はどこに隠れているかわからないから、攻撃はできません。核で先制攻撃をかけても潜水艦は生き残るわけです。その潜水艦の搭載ミサイルで反撃されれば、先制攻撃をしたほうも全滅状態になる。それ以降、先制核攻撃も不可能になって、お互いににらみ合いの状態になりました。これが冷戦後期の核戦略で、核均衡化の平和が続きます。

　しかし、にらみ合いの状態は冷戦の終了とともに、完全に終わったわけではないですが、終わろうとしていた。アメリカの世界国家化が完了すれば、人類は世界国家に支配されることと引き換えに核戦争の悪夢からは解放されたでしょう。しかし、事態はそのように進行することなく、アメリカが世界国家として諸国家のメタレヴェルに立つという夢は潰えつつある。

ロシアはソ連時代と違って、通常戦力ではNATOに劣っています。また経済力の圧倒的な格差からして、この劣位を覆しうる展望もありません。そのため、戦術核を実際に使用することを含めた作戦に切り替えようとしている。ロシアの作戦計画の中にすでに核使用が繰り込まれていて、ウクライナ戦争では、それが実行されるかどうかというところに来ているわけです。通常戦争で戦況が不利なとき対戦国に停戦を強制する場合、あるいは敵側の諸外国の参戦を阻止したい場合に、ロシアは戦術核の使用を選択しうる。ウクライナ戦争では、このどちらの場合も起こりえます。

▼核戦争の現実性

笠井　冷戦時代までのことに話を戻しますが、一九世紀までの国民戦争の時代は、戦時国際法によって戦争が制御されていました。「保護・限定された戦争」です。冷戦時代には、相互確証破壊のような形で戦争は輪郭づけられていました。ところが、世界内戦の時代になると、色々な意味でぐちゃぐちゃになってきます。

たとえば、それ以前は主権国家が戦争の主体だったわけですが、二一世紀には主権国家ではないアルカイダのような組織が、戦争の一方の主体になってくる。あるいはアフガンやイラクの反テロ戦争では、ブラックウォーター社のような民間軍事会社がアメリカ正規軍の活動を補完しました。これも国家ではない戦争主体です。ロシアもワグネルという民間軍事会社を使って、ドンバス内戦に介入していました。もちろん、今回のウクライナ戦争でも使っています。

戦争法は国際法で、国家と国家の取り決めですから、非国家組織のアルカイダもブラックウォーターもそれに拘束されません。また、非国家戦争主体と交戦する国家は、戦争法の規範から逸脱する違法行為を重ねるようになる。アメリカのグァンタナモ基地における捕虜の拘禁と迫害などは、その典型的な事例です。戦争主体が主権国家以外に拡散し、戦争が主権の行使という枠から逸脱していくのが世界内戦の特徴です。こうして戦争は制御されることなく、軍事ドローンやＡＩ兵器などの発達とも相まって、残忍さを歯止めなく増していく。

世界内戦では、核は脅しに使うだけ、戦争は通常の作戦で、という冷戦時代の使い分けは崩れていきます。こうなると戦争にルールはない。もうお互いに火星人と戦争をしているような、まったく言葉が通じないような、そういう状態になってくる。その中で唯一の共通言語の位置に、いわば核兵器が押し上げられてきた。

最終的に全面戦争になると、お互い敗北だということははっきりしています。敵は核を使うのかどうか、どこまで使うのか。これを互いに読みあわなければならない。こういう手を使えば敵は核を使うかもしれない、使わせないためにはこうしなければいけない。お互いにそこだけでゲームが成り立っている。だから世界内戦の今日の局面は、戦争というゲームが核をめぐるゲームという最後の水準まで達してきた、そういうことではないでしょうか。

たとえば以前からロシアは、ウクライナのＮＡＴＯ加盟をめぐって外交的な牽制球を投げていたのですが、ＮＡＴＯやアメリカは全然取り合わなかった。外交ゲームになっていなかった。いくら言っても相手はテーブルに着こうとしない、外交のゲームを始めようとしない。だったらもうチェス盤をひっくり返すしかないではないか。というのが、プーチンの開戦理由の一つでした。そしてロシア軍がウクライナに侵攻する。ブチャでの市民大虐殺に見られるような、戦時国際法もへったくれもない露骨で残忍な暴力が歯止めなく行使されはじめた。しかし、完全に無制約的な応酬にならないのは、核使用をめぐるメタゲームが存在しているからです。

プーチンはトルコに行くと言っていますが、どこかで戦争が外交ゲームに切り替わっていくのかどうか。その可能性はあるとしても、必ず切り替わるとは言えないし、いまのところは外交ゲームは存在しないも同然です。ＮＡＴＯが軍事介入しないのはプーチンによる核の脅しが効いているからで、そこでは核をめぐるゲームが成立している。しかし、それも戦術核が使われるまでのことでしょう。いったん使われたなら、その先がどうなるのか誰にもわかりません。そういうことが核問題に関してはいえると思います。

冷戦期の相互確証破壊による「核の平和」の時代とは違って、いまや核兵器は、いつ使われるかわかりません。アメリカもロシアも中国も当然ながら、核の扱いにかんして検討しているはずですが、国家とは違う立場にあるわれわれが、それにどう対するのか、真剣に考えておかなければなりません。

もう一つ、全面核戦争になれば人類は生物種として絶滅する、何となくそういうイメージがあります。しかし、何十億という人間が死ぬとしても、完全に絶滅してしまうことはおそらくない。かつては、全面核戦争が始まったらもはや人類絶滅というイメージがあって、その想像力が核戦争の抑止力としても機能したわけです。しかし世界内戦の時代には、最悪の場合、全面核戦争になった時にどうするのかということも、あらかじめ考えておく必要がある。核戦争の危機は濃厚だし、それが拡大していって全面核戦争になる可能性も無視できない。そのときどうなるのか、どうするのか。

アメリカ対ロシアの全面核戦争になったとき、まず考えられるのは中国が漁夫の利を得るだろうということですね。アメリカも、ロシアを核攻撃するついでに、中国本土にも核ミサイルの雨を降らせておこうとまではしないでしょう。まあ、トランプだったらやりかねませんが。しかし、それはないとすると、西側とロシアは滅んでしまい、中国は放射能の影響は無視できないとしても、ある程度以上は生き残るだろう。さらにアフリカと南米も。その後の世界は中国を中心にアフリカ、南米が、放射能の脅威にさらされながら生き延びていくことになるかもしれない。日本は全滅でしょうね。それも世界内戦の、ありうる帰結の一つとして想定するべきです。

ロシアによる戦術核の先制使用の可能性も問題ですが、アルカイダのような非国家主体による核所有の脅威も依然として現実的です。このように核については、いろいろな意味でリアルに検討するべき段階に入ってきました。むしろ冷戦時代、世界戦争の時代よりも世界内戦の現在のほうが核戦争の現実性は高まっています。このままなら、なんらかの核戦争が起こるのも時間の問題でしょう。

▼ポスト・トゥルース状況と情報戦争

笠井　それから情報戦争に関してですが、一九世紀の国民戦争までは軍隊と軍隊の戦争でした。二〇世紀の戦争になると、市民社会も戦争に動員され、総力戦体制が構築されていく。市民社会も戦場になるということで、後方攻撃が常態化しました。

社会の戦争化という点では、中国の革命戦争に典型的なパルチザン戦争の戦略化も、二〇世紀の戦争として見逃せません。毛沢東が語ったように、ゲリラが人民の海を泳ぐ魚であれば、侵略軍は人民の海を、ようするに当該社会の総体を敵として攻撃しなければならない。非戦闘員である丸腰の文民（シヴィリアン）を軍隊が攻撃するのだから、しばしば一方的な大量虐殺という結果を招きます。さらに二一世紀の戦争になると、ハイブリット戦争と言われますが、軍需工場を攻撃するとか、交通網を攻撃するというのとは違う意味で、市民社会の戦場化の深刻さが増してきた現実があります。

ハイブリッド戦争という言葉が知られてきたのは、二〇一四年のロシアによるクリミア侵攻からです。この戦争でロシア軍はほとんど戦闘することなくクリミアを占領し、その後には併合します。このような勝利は、多様な主体と方法をハイブリッドさせて戦うことに成功したからだというのが、ハイブリッド戦争という言葉が使われはじめた背景でした。この成功に味をしめて、さらにロシアはドンバス二州にハイブリッド戦争をしかけますが、クリミアほどの一挙的な勝利にはいたらず、長期にわたる内戦状態に突入します。ドンバスにおけるハイブリッド戦争の不発と内戦状態の長期化が、今回のウクライナ全面侵攻につながっていく。

ハイブリッド戦争の主要な一部門が情報戦です。暗号解読や偽情報の発信と拡散から敵国の世論操作まで、情報戦は昔からあったとしても、サイバースペースを舞台としたそれは二一世紀に特有ですね。ＩＴの活用によって、旧来の情報戦は飛躍的な量的拡大をとげたのですが、問題はその質的変化です。トランプ政権誕生の前後にしきりに語られた、ポスト・トゥルース*2やフェイクニュースをめぐる問題があります。近代的な意味での真実性、トゥルースですが、それがポスト・モダン的に揺らいできたということが、情報戦の二一世紀的な変質の背景にはある。戦争が近代の戦争から二一世紀の戦争に移行するのと、社会が二一世紀的に変容するのと、その接点で、新しい情報戦争が出てきている。日米戦争でも、たとえば米軍機が降伏を勧めるビラを撒くとか、日本側は東京ローズのラジオ放送で米兵の厭戦気分を煽るとか、様々なかたちで情報戦争が行なわれていたんだけれども、もはやそれとは水準が違います。偽情報をばらまくというよりも、情報の真偽それ自体を相対化してしまうわけだから。クリミアで敗北したウクライナやNATO側は、ロシアのハイブリッド戦争を研究しつくし、それへの対処を進めてきました。だから今回はむしろ、ウクライナ側、NATO側のほうが諸方面で情報戦を有利に進めています。

ハイブリッド戦争の前提になっているポスト・トゥルース状況にたいして、何ができるのかというのはなかなか難しいですね。真実は真実だと言い張っていれば、真実は守られるのか、心もとないところがある。昔は議論するとき、百科事典に書いてあることや、全国紙で報道されたこと、たとえば読売と朝日の両方に同じように書かれていたことなら、一応議論の前提になる「事実」と見なしていい、といった了解がありました。もちろん両方ともデタラメを記事にしている可能性はあるとしても、それは議論の中で正していけばいいというような。でも、いまやそれが存在しない、そういう前提が崩壊しています。意見の対立に共通の土俵がないから議論にならない。それぞれが見たいものだけを見ている。聞きたくないことは、言われても聞かなかったことにしてすんでしまう。そういう事例が世界中で氾濫している今日、フェイクニュースに、昔ながらの知識と教養に裏づけられた真実を対置することは可能なのか。そこは、なんともいえないところですね。

――メディア空間を含めた世界の例外状態化がどんどん進んでいく。まさにそういう状況ですね。

笠井　例外状態が政治状況だけではなく、われわれの生活や身体や意識にまで浸透してきている。コロナのパンデミックにかんしても、各国の指導者が「これは戦争だ」と言っていましたね。スペイン風邪も、第一次大戦、世界戦争の一部だったわけですから、コロナも世界内戦の一部として捉える必要があります。このパンデミックによって、世界内戦化は加速されました。一〇年かかるはずだったものが一、二年で実現されてしまった、という実感があります。手近なところでいえば、日本の衰退は、じりじりと進んでいく緩やかなカーブでしたが、この三年ほどで急降下した事実がある。歯止めのない円安はその一例です。

ＩＴを活用した市民への監視とコントロールも、パンデミックに対処するという理由で高度化してきました。それはコロナ以後も残って、支配システムに組み込まれていくに違いありません。

▼『同志少女よ、敵を撃て』について――戦争とジェンダー問題

――次の質問に移らせてください。

『同志少女よ、敵を撃て』についてお聞きしますが、笠井さんはこのベストセラー小説に、「戦争と女性」という主題を見ています（「ポストコロナ文化論　4戦争と女性」）。戦争とジェンダー問題という、これまで全く触れられることのなかったこの主題について注目し、その点について書かれています。

私もこれを読んで色々なことを感じたのですが、まず一つは笠井さん同様、主人公が女性であるということ。兵士でありかつ女性であるという目から、戦争や戦場や、兵士という存在が見られ、語られていること。しかもリアルな達成感を獲得していると感じます。この点が印象的でした。作品を成功させた要因は、主人公をスナイパーに設定したこと、ここに尽きるんじゃないかと思います。陸戦で敵兵と相まみえるときに生じる身体的・物理的ハンディを回避できますし、スナイパーは観察者ですね、状況や兵士を凝視する存在です。観察者としての能力が、スナイパーとしての能力に直結しているところがあります。それが大変うまく作用していること。いずれにしても女性の目から戦争の最前線を見たこと。これが一つ目の感想です。

もう一つは、近年、一部の若い作家たちが「戦争」に強い関心を示し、リアルな「戦争小説」を書いているのです。逢坂冬馬氏のデビュー以前には、古処誠二氏が第二次大戦の戦場を舞台とした戦争小説を発表しています。そしてきわめてリアリティ溢れる戦場空間を創りあげている。古処さんは一九七〇年生まれ、逢坂さんは八五年生まれです。これほど若い作家たちがなぜ「戦争」を主題とするのか。

考えてみれば、村上龍氏はデビュー作からすでに「戦争と戦後」をテーマにしてきた作家でした。『海の向こうで戦争が始まる』『五分後の世界』『半島を出よ』などがすぐに思い浮かびますが、龍氏であれば私と同世代ですので、なぜ戦争を描くのかというモチーフはわからなくはないのですが、古処氏以降の若い作家たちがどうしてここまで「戦争」に関心を持ち、作品の主題として取り上げるのか。このことをどう考えたらいいのだろうかということを、『同志少女よ、敵を撃て』を読んで改めて感じました。

この二点、「戦争と女性」という主題について、なぜ若い作家たちが戦争を描くのか、笠井さんのお考えをお聞かせください。

笠井　二つ目の質問から先に答えますと、冒険小説の船戸与一も、戦争小説をたくさん書いています。ぼくより少し上ですが、大雑把に言えば同じ世代です。村上龍や船戸与一は簡単に言うと、たまたま重信房子にならなかった作家たちとも考えられる。実際に行動してしまうと重信房子になり、小説を書いていると村上龍や船戸与一になっていく。簡単に言えばそういうことだと思います。戦争から疎外されたがゆえに、戦争に疎外されていくというタイプの作家版です。

この論理が今の若い人にとってどうなっているのか、ぼくも関心があるのですが、よくわかりません。問題が解決されたわけではないと思います。かつてのわれわれのような形をとっていないことははっきりしていますが、もしかしたら、赤軍派とは違うような戦争への関心の小説版なのかもしれません。自民党右派の改憲再軍備派とは違う、それに対抗する戦争観が模索されていることを期待します。

古処氏に関しては、初期のミステリーはともかく、最近の作品は読んでいなくてなんとも言えないのですが、『同志少女よ、敵を撃て』については、いま言ったような可能性も窺える作品ではないか。

ノーベル賞をもらったベラルーシのスヴェトラーナ・アレクシエーヴィッチに、『戦争は女の顔をしていない』という作品がありますね。それが参考文献にあげられています。しかし「戦争は女の顔もしている」わけです。つまり、戦争は男、平和は女、という二分法が成り立っていない状態での戦争を描いているところに、関心を持ちました。もちろん「女の顔もしている」からそれでいいというわけではなく、その先があるわけです。

この本の最後に載っているミステリー評論家の選評に、「タイトルが平凡だ」とあるのですが、こういうことを平気で言う人が選考委員をやっていていいんだろうか（笑）、何もわかっていないじゃないかと思いましたね。タイトルが肝ですから。『同志少女よ、敵を撃て』の「敵」はドイツ兵だと思って読んでいったら、びっくり仰天、ロシア兵の男だったというところが、読者に仕掛けられた最大のトリックです。「戦争は女の顔をしていない」状態を達成するためには、女も戦争をしなければいけない。もちろん、女が戦争をしてよかったかと言えば、そうとも言えないというのが最後の幕切れです。

主人公の女性兵士は後方勤務ではなく、前線に投入されている。ロシアは女性兵士の前線への投入が年代的に早いのですね。二月革命の直後、臨時政府の時代に、早くも女性部隊が創設されています。その部隊は白軍に行ったので、ソ連の赤軍と組織的にはつながっていないのですが。なぜロシア、ソ連では女性兵士が早くから存在したのかというと、二つ理由があって、一つは前近代からの理由、もう一つは脱近代的な理由です。

遊牧民では女性も兵士です。ロシアはモンゴルやトルコに占領されていた期間が長かったから、遊牧民の文化がさまざまに入っています。そこで西のヨーロッパ諸国には稀薄な、女性も兵士であるという発想も自然だったのではないか。中学生のときに『隊長ブーリバ』という映画を観たのですが、コサックの長のブーリバを演じたユル・ブリンナーが弁髪で登場します。弁髪というのは、清の時代の中国人の髪型だと思っていたから、驚きました。どうして弁髪なのか不思議だったのですが、もともとは遊牧民の髪型なんですね。モンゴルの遊牧民が弁髪だったから、それがウクライナにも残っていた。コサックというのは民族的にはスラブ人ですが、モンゴル人の征服者の文化が後世まで残っていた。ロシア文化に刷り込まれた遊牧民の歴史、これが一つ目、近代以前からの理由です。

もう一つは、社会主義的男女平等観があって、ロシアでも中国でも、女性は男性と同じように働くのが普通です。軍隊でも同じで、女性にも兵士としての戦闘力が期待されていた。これが男女役割分業の近代とは異なる、脱近代的な理由。こうした二つの理由から、ロシアでは女性兵士の登場が早かった。アメリカでも最近、海兵隊に女性が入隊したということで話題になりましたが、女性が前線勤務をするようになったのは、二一世紀に入ってからです。ここに注目したのは、小説家としてはなかなかの慧眼でしょう。

フェミニズムの主題が背景にあるのですが、「戦争は女の顔をしていない」的な、肝心なところで男女役割分業意識を温存しているフェミニズムに、「戦争は女の顔もしている」事実を対置しています。

——このテーマは、これから日本のフェミニストの方々がどう読んでいくのか、どんな感想を持つのか、私は関心を持って待っているのですが、まだ見当たらないですね。

笠井　フェミニストからの感想は、わたしも読んだことはないですね。書評を書くときに探してみたのですが、目に付きませんでした。あまり読まれていないのかもしれません。

——それで、戦争という主題の中で、ジェンダー問題が若い作家によって語られるようになった、こういう状況と、先ほどの例外状態が社会のみならず、個々人の心理や思考にまで深く及ぶようになってきたという状況に、何か接点や関連のようなものは見つけられないでしょうか。

笠井　二一世紀的なポスト・トゥルース状況が、新しい質の情報戦争の背景になっています。ポスト・トゥルースは明らかに、近代的な認識の構図が崩壊してからの事態ですね。そのことと近代的な男女分割がねじれてきている、というのは並行的な現象です。フェミニズムは近代的な男女二項対立をいかに超えていくか、という思想と運動でもあるわけだから、無関係ではないでしょうね。

▼ロシアという風土とプーチン

――次は少し質問の性格が変わりますが、プーチンという人物について、可能な範囲でお話しいただけないかと考えたのですが、いかがでしょうか。ヨーロッパでもなければアジアでもない、「スラブ民族」という独特の民族性、複雑な歴史性を感じます。前半、新旧のユーラシア主義についてのお話がありました。

今回のプーチンの決断は、①経済的にもリスクが大きい（西側の各国から経済制裁が発動されるのは目に見えていた）②軍事的にも戦略的にも疑問視されることが多い（前線で戦っていた兵士たちは訓練だと聞かされており、士気が低い）③国際世論からの孤立も目に見えていたはずだ、④行きがかりによっては第三次世界大戦になりかねない大きなリスクがある。

それにもかかわらず侵攻を決意した理由には、何か不合理なものがあると指摘されたことが印象深かったのです。この辺りのことは、ロシアという地勢の特殊性とか、プーチンの汎ユーラシア主義とか、そういった事情もわかりにくくしている理由ではないか、などと考えたのですが、ピントが絞り切れない質問で申し訳ないのですが、ロシアという風土とプーチンという人物について、笠井さんなりのお考えがあればお話しください。

笠井　たとえばゼレンスキーという人であれば、ウクライナのオレンジ革命以降の大統領の中ではリベラルデモクラシー系で、もっとも西側寄りの立場だといえます。だからプーチンは限度まで危機感を煽られた。ゼレンスキーがネオナチ的な過激ナショナリストを、イデオロギー的に支持して重用しているわけではありません。抑えきれないところもあり、うまく統合して利用しようというところもある。もともとクリミア併合とドンバス内戦で、ウクライナのナショナリズムが下から活性化されてきた。ロシアの圧力や干渉や侵略の反動として、ウクライナの右翼ナショナリズムは強化されている。とはいえ、ウクライナ全体が、右翼ナショナリストに支配されているとはいえません。選挙でもネオナチ系の候補は数パーセントしか得票していないわけだし、ゼレンスキー本人は開明的なリベラル派です。

対してプーチンは、どうなんでしょうね（笑）、よくわからないな。あまりプーチン個人には興味が湧かないんです。どこかしら精神的に傷のあるナルシスト＝ナショナリスト、という印象はありますが。プーチンが倒れても民主化勢力が表に出てくる可能性は、きわめて低い。むしろプーチンを、ウクライナでの核使用をためらうな、と突き上げているような極右ナショナリストから、プーチンの次が出てくる可能性のほうが高いでしょう。だからウクライナ戦争が終結しても、もちろん世界内戦は終わらないし、ますます深刻化していく。

ロシアという国の類例のない特殊性は、帝国主義国と帝国の二重性にあります。ヨーロッパ公法秩序に属する帝国主義国でありながら、モンゴル帝国の頽落的な復活でもある。しかも、かつてのモンゴル帝国もまた「帝国」として独自でした。モンゴル帝国はユーラシア中央部のステップ地帯を征服した遊牧民の帝国で、中華帝国のような農耕民の帝国ではなかったからです。中華帝国の歴史に取り込まれていく元朝は別として。新ユーラシア主義的に特権化されたロシアの精神と行動様式は、遊牧民帝国の残響とソ連時代までを含む帝国主義の二重性に注目しないと、正確に捉えることができないのでは。

——ロシアとウクライナの戦争については、こちらが用意した質問にほぼ答えていただきました。最後、世界内戦状態はさらに深刻化していくだろうと、なかなか厳しい見通しが語られました。混迷や混乱とともに二極化が進んでいくだろうことは、否が応でも推測されますね。

▼斎藤幸平『人新世の「資本論」』について

——最後の質問は、話が飛びますが、斎藤幸平氏の『人新世の「資本論」』についてお聞きしたいと思います。プーチンは、独裁強権政治家ですが、スターリニストというよりは、ロシアツァーリズム（皇帝主義）を模倣せんとするプーチニズムというほうが適切なように感じます。斎藤幸平氏の『人新世の「資本論」』と、あえて関連づければ、マルクス『資本論』の問題、ロシア版マルクス主義やスターリニズムといったテーマについてレクチャーしていただければと思います。

笠井　先ほど、国連決議でもロシア非難に廻らなかった国が三〇数カ国、かなりの数だったという話をしました。一六世紀以来の近代世界は、ヨーロッパ諸国の主権国家連合が非ヨーロッパ地域の全体を支配するという、そういう二重構造になっていました。政治的にそうだし、経済的にも一六世紀にスペインが、メキシコやラテンアメリカで奴隷制の鉱山を作って、そこから得た銀でヨーロッパを征服しようとした。スペインは、その後、ハプスブルグ帝国の一部になります。ヨーロッパを中心とした工業、当時は毛織物マニュファクチュアが中心ですが、その賃労働と植民地における奴隷労働は本源的蓄積の二つの車輪でした。スペイン、オランダ、イギリスというヘゲモニー国の移動は、毛織物マニュファクチュアの産業中心国の移動に対応しています。一六世紀、一七世紀では新大陸の銀と交換されるヨーロッパからの輸出品の中心が毛織物だったからです。

ヨーロッパ公法諸国による植民地支配のシステムが帝国主義で、一九世紀後半に進行した資本蓄積様式の変容から帝国主義を捉えるホブスン／レーニンの帝国主義論は一面的です。重商帝国主義、自由帝国主義、独占帝国主義という具合に、資本主義と帝国主義は歴史的に一体でした。資本主義／植民地主義／帝国主義を全体として把握する近代世界批判が求められています。わたしは学生運動時代に、近代世界への体制的批判を構想していました。それを新左翼誌の「情況」に連載した「日本革命思想の転生」で書きはじめたのですが、未完成のまま中断してしまいます。近代世界の抑圧構造を覆す原動力として期待した第三世界革命が、一九七〇年代には急速に退潮していったからです。しかし半世紀後の今日、近代世界批判があらためて求められていると感じます。

植民地主義や奴隷労働は過ぎ去った過去、資本主義の野蛮時代の出来事というわけではなく、現在も形を変えて再生産され続けている。「資本主義を基軸として帝国主義を上部構造とする近代世界」の総体的変革なしに、資本主義の変革は不可能です。しかし旧第三世界、最近はグローバルサウスといわれますが、植民地主義権力によって自律的な共同体の経済と社会を暴力的に「半解体・変形・包摂」された、世界の大部分の地域とその住民の存在が、今回の国連決議にも影を落としているのではないか。ヨーロッパ公法秩序と資本主義／植民地主義／帝国主義の三位一体が創出した近代世界の最新版が今日の世界秩序だとしたら、「力による現状変更を許さない」というときの「現状」を無条件に容認するわけにはいかない。「現状」とは、われわれと無関係のところで作られ、われわれを踏みにじり続けてきた「秩序」の最新版にすぎないから。そのような南の民衆の声が、旧公法諸国のイニシャチヴによるロシア非難国連決議への不同意として表現されています。第二次大戦後に独立した旧植民地従属国の政府が、民衆の意志を正当に反映しているとは限らないにしても。

南の諸国はCOPなど国際的な環境会議の場でも、温室効果ガス排出量削減にかんして、産業化された北の諸国とは常に対立します。二酸化炭素をこれまで排出し、現在も大量に排出し続けているのは北の諸国だ、その結果の地球温暖化や気候変動によって南の世界は一方的な被害を蒙っている。問題は北の諸国が解決しろ、そう主張する。

地球人口の三分の二以上がそうした立場ですから、この構造を根本的に変革しない限り、CO_2排出をはじめとする地球環境問題の解決はないと思うのですね。ところが、斎藤幸平の本には、近代世界の基礎構造をめぐる把握が欠けています。ウォーラーステインについての言及が少しありましたが、植民地の奴隷労働と資本主義国の賃労働が資本主義の二本柱であるという点の軽視、無視はマルクスの立場を引き継いでいる。注意を引いたのは、マルクスを論じながらも、この本には「革命」という言葉がほとんど出てこない点。そのことに驚いたというか、呆れたというか。

マルクス主義の破産が明らかになって以降、マルクス延命のために、さまざまなパーツをマルクス理論から排除してきたマルクス延命派の姑息な歴史があります。近代産業肯定論、労働中心主義、生産力主義、先進国革命主義、労働者本体論、プロレタリア独裁論、唯物史観による発展段階論、その他もろもろ。そして斎藤幸平は、ついにマルクスから「革命」まで削除するに至ったのか、マルクス延命派もついにここまで来たのかと感心しましたね。マルクスから「革命」を削除した大先輩はベルンシュタイン[*3]で、斎藤幸平は二一世紀の小型ベルンシュタインです。

第二インターの時代から、ベルンシュタインの対極にいたのがレーニンですね。レーニン主義、つまりボリシェヴィズム[*4]がロシア革命後、二〇世紀マルクス主義の主流になります。ベルンシュタインの修正主義路線に純化した社会民主主義は、一九五九年のドイツ社会民主党ゴーデスベルク大会の新綱領を象徴的事例として、マルクス主義を公式に放棄していきます。しかし、それ以前から、マルクス主義の中心はベルンシュタイン主義でなくレーニン主義になっていた。ボリシェヴィズムは二〇世紀に帝国主義が殺戮したのと変わらない数の、数千万という人々の命を奪った末に自滅していきました。この惨憺たる歴史に関して斎藤幸平は何も触れていませんね。具合の悪いことは頬かぶりしてすませる厚かましさの点でも、マルクス本としては新地平を拓いています。褒めていません（笑）。

一九五〇年代後半にレーニンからスターリンを切り離して、ボリシェヴィズムの延命を図った発想の延長で、少し前までは、マルクスからレーニンを切り離すとか、エンゲルスまで切り離そうとか、そうした試みはマルクス延命派にもあったのです。さすがに『収容所群島』で暴露された絶滅収容所国家の現実を、見て見ない振りはできなかったのでしょう。なんとかしてボリシェヴィズムの悪行から切断しないと、いくらなんでもマルクスは救えないという二〇世紀末までの延命派の最低限の「良識」が、いまや綺麗さっぱりと消去されている。レーニンが、二〇世紀最大のマルクス主義者として遇されていた事実さえ忘却されたのですか、そういう時代なんですかという印象です。ある座談会で斎藤幸平は、ソ連のこともレーニン主義のこともよく知りません、と平気で言っていました。なるほどね、と思いましたね。

斎藤幸平による、マルクス延命の論理自体に目新しいところはありません。新MEGA

（新マルクス全集）で発掘された新資料がどうとか言っていても、主張の中身は一九六〇年代から語られていたことの反復でしかない。たとえば「ザスーリッチ宛書簡」ですね。前資本主義社会は共同体の分解と社会の資本主義化を必ず経由しなければ、共産主義には到達しえないのかという、ロシアのマルクス主義者ザスーリッチの問いに答えたマルクスの手紙です。そこでマルクスは、『経済学批判』の序文に典型的な発展段階論を、多少は軌道修正するようなことを書いている。しかし唯物史観を自己批判的に撤回したわけでも、大きく変更したわけでもありません。ヘーゲル的な目的論的歴史観は基本的に維持されています。

この書簡は、マルクス主義に関心がある者だったら誰でも知っている、延命論の重要文献です。この書簡について熱心に論じたのは、その当時、市民社会派と呼ばれていた平田清明や山之内靖などで、わたしも半世紀前の学生活動家時代にはよく読んだものです。封建社会から資本主義社会をへて共産主義社会にいたる、という単線型の発展史観は『共産党宣言』から『経済学批判・序文』の時期のもので、晩年のマルクスは少し違うことを考えていた。そういうことを言いたいとき、必ず持ち出されるテキストが「ザスーリッチ宛書簡」でした。

一九七九年に「マルクスを葬送する」という座談会[*5]を開きました。出席者の一人は学生運動時代からの親友で、マルクス主義の学生理論家としては日本で有数だった戸田徹でしたが、彼がその座談会で発言しています。これまで自分は「ザスーリッチ宛書簡」や『資本論』の物質代謝論を持ち出して、なんとかマルクスを延命させようと頑張ってきたけれども、いくらやってもダメなものはダメだとわかったのでもう止めると。四〇年前に戸田が、「ザスーリッチ宛書簡」や物質代謝論を検討し尽くして、それではマルクスの延命にはならないと結論を出している。それより新しい、あるいは高度な観点を出しているならともかく、斎藤幸平の議論にそのようなところは見当たりません。いまさらその程度のことを麗々しく持ち出してきても、話になりませんよ、ということです。

物質代謝は生命活動の基本で、あらゆる生物が物質代謝をしています。人間の場合、労働を介して物質代謝を行なう点が特異だということは常識です。そして環境破壊の根本が、この労働という自然の対象化活動にあることも。言語と道具を用いての集団的狩猟が大型獣を狩り尽くしたところからはじまり、それを農耕社会が加速し、そして産業社会が到来し、環境破壊は破滅的な水準に達した。労働を資本主義的な組織化から解放すべきだとしても、それだけで環境危機の根拠は解消されません。

資本主義からの解放は社会革命の問題ですが、革命には「存在の革命」という未探究の領域があります。人間が労働から解放されること。労働が人間の定義だとすれば、人間が人間であることから解放されること。それが存在革命で、環境危機が提起しているのは社会革命を超える存在革命の問題です。存在革命の問題を社会革命の領域に切り縮めようとするから、斎藤幸平の議論は「脱成長コミュニズム」という類の、凡庸で魅力のない提起にしかならないのです。

それから農学者で、フルースという人の本をマルクスは読んでいたと、大変なことのように書いているけれど、その場合に重要なのはフルースであって、フルースの本を読んでいたマルクスではないでしょう。アソシエーション論が一〇年くらい前に流行りましたね。アソシエーションの代表的な論者はプルードンです。マルクスはプルードンの影響を受けた、あるいはプルードンの主張を模倣したのであって、アソシエーションが重要だというのであれば、マルクスではなくプルードンの再評価に向かうべきです。それが、マルクスはアソシエーション論で救えるという話にすり替えられていく。

生態学やエコロジーにしても、重要なのはエコロジーであり、エコロジーはマルクスを延命させるために存在するわけではありません。とにかくマルクスを救済したい、延命させたいという、よく動機のわからない倒錯した欲望がある。それが先行して、すべて利用できる材料として使おうとしていく。一九七〇年代、八〇年代に、いいだ・ももという人が、そういうことを延々とやっていました。いいだ・ももは、戸田やわたしも属していた共産主義労働者党のリーダーでしたが、いいだによるマルクス延命本のアイデア元は戸田徹で、戸田が捨てたアイデアを拾って麗々しく書いただけです。元ネタを考えた人間がもうダメだと言っているのだから、ダメに決まっています。『人新世の「資本論」』の半分以上、三分の二以上は、「赤（コミュニズム）と緑（エコロジー）の大合流」とかいう題目の、いいだ・もものマルクス延命本に書いてある中身と変わりません。

――私の『人新世の「資本論」』の理解が、かなりコテンパンにやられてしまっていてほぼ説得されたのですが、笠井さんの徹底批判を参考にさせていただきながら、ケア論として読むという読み方について、どこかでもう一度まき直しを図りたいと思います。それで最後にもう一つ、スターリニズムに関してはいかがですか。いわゆるリベラル左派、リベラル市民主義と思しき特に若い世代にかんして、スターリニズムに対しての感度がとても弱くなっている、無防備になっている、という気がするのですが。この点で何か感じるところがあれば、お話しください。

笠井　日本の戦争体験が忘れられていくとか、風化してきたとか、われわれが子どもだったころから言われていましたね。よくもったものです。そろそろ耐用年限がきたかとも思いますが、それにしてもここまで八〇年も続いたわけで、長持ちしたほうですよ。ロシアでさえ、まだ三〇年ほどしかたっていないのに、スターリニズムの記憶はほとんど消えてしまっている。警戒心を残しているのは、サハロフ的な旧ソ連の反体制派、人権派の流れをくむ知識層の一部でしょう。庶民の間に広範に、反スターリン主義の意識が根付いているとはとても思えません。それを思えば日本人の平和意識は、空洞化してきたと言われながら、けっこう長くもった、しかしもう耐用年限がきていると思います。日本左翼の反スターリニズムの風化にかんしていえば、大人の場合は予想通りというところですが、若者がそうなるのは困ったことです。SEALDsの中心だった人たちも、民主集中制のスターリニスト党という本性は昔と変わらない共産党に、無批判的で好意的なようだし。

スターリニストはまだしも、ネオナチさえロシアにはいるんですよ。三千万人もナチに殺されたというのに、どうしてハーケンクロイツ（鍵十字のナチのシンボル）のタトゥーをしているのか。われわれから見れば不思議議ですね。プーチンはネオナチではないだろうけど、ドイツやフランスのネオナチや、トランプ派を隠然公然と支援しています。深刻な負の歴史であろうと、人々は忘れるのが早い。

――（杉山）「革命」につきまして、ひとつ質問させてください。ボリシェヴィズム（レーニン主義）の革命というのは、ぼくの理解ですと、まず政治革命を起こして国家権力を握り、しかる後に社会革命をする。そのときできれば国家を死滅させればいい。そういう定式があると思います。でも、そういう政治革命の先行性というのはアウトじゃないか、結局、権力奪取に回帰しちゃうからダメなんだと思っているんです。斎藤幸平さんの論理でも、アソシエーション論でもそうですけど、だれがどうやってそういう変革をやるの、というと、結局ボリシェヴィズムみたいなものに回収されてしまうのではないか、と思うんです。

そのとき、たとえば柄谷行人さんは、政治革命と社会革命を同時にやらなきゃいけないというテーゼを出されているかと思います。でも、正直よくわからない。政治革命を先行させないで、「社会的国家」を強くしていって、そこで自己権力を握るような運動をつくる、ということになるのかもしれないですけど、もうちょっと、具体的な手がかりがほしいと思います。

そのへんのところを、ボリシェヴィズム批判からそちらに、どういうふうにつなげていくか、何かヒントをいただけないでしょうか。

▼革命の全体の過程

笠井　政治革命と社会革命を同時にやるというのは、さきほど触れた共労党の一九七〇年代に向かう新路線（政治社会同時革命論）だったことを、いまの杉山さんの話で思い出しました。六九年秋期の反安保闘争に顕著だった中央決戦主義を、自己批判的に総括するところから導かれた新路線でした。

杉山さんの要約でボリシェヴィキ革命の理解はいいと思うんですが、もう少し説明します。まず自然発生的な巨大蜂起が起きるんですね。旧体制の政治権力が、この蜂起によって倒壊してしまう。一九一七年のロシア革命でいうと、突然に二月革命が起こる。ボリシェヴィキ党が計画的に起こしたわけでは、まったくありません。メンシェヴィキもエスエルも、どの左翼党派も予想しなかった、自然発生的な大衆蜂起です。この大爆発でツァーリの専制権力は吹き飛んでしまう。ボリシェヴィキ党は、そこで生じた政治権力の空白にすぽっとはまり込むのです。「全権力をソヴィエトへ」と口先では言いながら、実質的には党派的クーデタで独裁権力を樹立し、その権力を行使して、蜂起の自己組織化としての評議会、ソヴィエトを潰していく。その上で、ボリシェヴィキ的な社会主義化、つまり産業の国有化を進めていくわけです。その惨憺たる結末については、ここで語るまでもありません。ソ連型社会主義の支持者や肯定論者は、日本でも世界でもいまやゼロにひとしいでしょうから。ただし、プーチンがそうであるような、スターリニズムの無自覚な継承者は存在します。習近平もおなじで、いわば社会主義なきスターリニズム。

大衆蜂起というのは、一番最初は何となく人がわさわさと街路に出てくるところからはじまる。戦争はもうやめてほしい、パンが欲しいという程度の民主的、改良的な要求でデモをはじめると、警官隊が目茶苦茶な弾圧をする。それで怒った人々が、「ツァーリ打倒」とか言いはじめる。しかし、もちろん一日では打倒できません。「明日も街頭に出てこよう」ということになる。運動が自己組織化されていくわけです。こうしてロシアの場合は居住地と職場に、評議会=ソヴィエトが自己権力機関としてつくられていく。最初はデモからはじまるんだけれども、それが自治/自律/自己権力の運動体に自己組織化していく。自治は政治的、自律は経済的な評議会やアソシエーションの活動です。そうした大小無数の自己権力体が、横に連携し、下から積みあがっていって全国規模でも自己統治するという可能性を、ボリシェヴィキが上から権力的に潰したわけです。白軍との内戦や帝国主義国の干渉や、その他もろもろの悪条件のもとで、権力を守るためには仕方なかったんだという弁解が、しばしばボリシェヴィキ側からは語られます。「マルクス葬送」座談会を出発点としたマルクス主義批判の過程で暴いたように、ボリシェヴィキの姑息な言い訳は三百代言の類にすぎません。

では、ボリシェヴィキ党が存在しなかったらどうなっていたのか。ボリシェヴィキのいない革命を考えてみることは可能です。評議会は、フランスではコミューン、ドイツではレーテ、スペインではフンタと、さまざまに呼ばれてきたのですが、どのような革命にも、必ず大衆蜂起とその自己組織化、自己権力化という流れがある。それが二〇世紀には旧体制の権力によって潰されるか、でなければボリシェヴィキの新権力によって潰されてきた。この事実を教訓化して、二一世紀には外と内の二つの敵に潰されないようにしようと、まあそういうことです。

▼ブランキ「四季協会」のやり方

笠井　プルードン的な「アソシエーション」は権力機関ではありません。相互扶助的な社会団体です。大衆蜂起は危機の瞬間に嵐のように到来する。二〇一一年、世界同時的に発生した大衆蜂起もそうでしたが、突然に起こる。蜂起が倒そうとするのは政府、対抗しなければならないのは国家権力です。しかし、それ以前から、アソシエーションの運動があるわけです。平時から存在しているアソシエーション的な活動と、危機においておとずれる大衆蜂起の評議会活動が、どういうふうにうまくかみ合っていくのか。それが重要だと思います。

フランスの初期社会主義、科学的社会主義者と称したエンゲルスは、『空想から科学へ』で「ユートピア的社会主義」と小馬鹿にしていますが、その時代の初期社会主義思想で二一世紀の今日でも重要なのは、ブランキとプルードンです。フーリエやサン＝シモンやオーウェンは、その後の革命運動、社会主義運動に大きな影響力を持ったとはいえません。

ブランキは、「四季協会」という武装蜂起の秘密結社を組織しました。四季協会は、新人が入る時に入会式をする。面白いのは入会式の場で、首領から蜂起の指令が来るまでは、黙って待機していろと命じられること。政党や左翼党派とは違って日常活動はやりません。ボリシェヴィキ的な前衛党のように、大衆組織に潜り込んで指導権を握ろうとする、秘密のフラクション活動もしない。

四季協会ができてから数年後に蜂起指令がくるんです。計算してみると、歩留まりが半分以上なんですよ。これはすごい、フラクション会議とか、意思統一とか、集会やデモとか、なにもしていないわけだから。入会しただけで、何年もしてからブランキの命令書が届いたら、会員の半分以上が盟約に忠実に鉄砲をかついで集結する。

どうしてそんなことが可能だったのか。ブランキの結社に入ろうという人々は、戦闘的な共和派や社会主義者で、日常的になんらかの社会運動をしている場合が多かった。四季協会の会員としてではなくて、日曜には労働者酒場で反体制シャンソンの運動をして、みんな酔い潰れて月曜は自然発生的なサボタージュ、ストライキになるとか。これを「パリの聖月曜日」といいました。ようするに四季協会のメンバーたちの多くは、平時にはプルードン的なアソシエーション活動をしていたわけですね。その上で、秘密結社の首領から蜂起の指令が届いたら、翌日には武装蜂起する。

ただしブランキは、ボリシェヴィキの武装蜂起とは違って、旧体制の政府を乗っ取って、自分たちが新たな中央権力になり上がろうとしたのではありません。政府を瓦解させるような、パリ全市的な大規模蜂起を起こさなければならない。不満を溜めこんだ民衆という火薬樽に点火し、大爆発を引き起こすためには火花が必要だ。自分たちは、その火花になる。火薬樽が爆発して政府が倒れた後は、革命政府ができるだろう。その中でブランキたちは役割を果たすかもしれないし、果たさないかもしれない。ということであって、ブランキがレーニンのような権力者になるとか、四季協会がボリシェヴィキ党のような独裁権力になろうとしていたのではまったくない。武装蜂起を主張したという理由で、ブランキとレーニンをつなぐ発想がありますが、見当違いです。ブランキは大革命末期の急進的共和主義者バブーフの継承者ですが、バブーフはロベスピエール派という議会内のインテリ党派主義を批判し、ロベスピエールが無力化したサンキュロットの街頭権力を擁護した人物です。その後継者ブランキは、いうまでもなく党派権力に民衆の自己権力を対置していた。ブランキが追求した大衆蜂起とその自己組織化、それとプルードン的な平時からのアソシエーション運動は、一九世紀のフランスでは二本立てで、しばしば一人の活動家が両方に関わるという補完的な関係にあったのですね。

たったいまからでも、アソシエーション的な活動を進めることは不可欠です。大きなことを、いきなりはじめることはできません。数人の集まりでもいい、読書会や同人誌の会でもいい。相互扶助的な会であればなおいい。そうした運動をいますぐはじめるのが重要だと思います。

全世界で二〇一一年以降、いたるところで大衆蜂起が連続している。東アジアでも、台湾、香港、韓国で大蜂起が起きています。香港は潰されましたけれど、中国だって農村地帯で暴動があちこちで起きている。死んだように平穏な国は北朝鮮と日本だけです。冗談ではなく、そういう事実がある。この国でも蜂起は起こるでしょう、しかしアジアでも、もっとも遅くなるのかもしれません。いずれにしても蜂起は嵐のように到来します。それを待ちながら、今からでもできることをはじめるべきです。

——はい。ありがとうございました。長時間、お付き合いいただきました。今回のロシア-ウクライナ戦争に関する内容としては、群を抜いて充実した内容になっていると思います。宿題もたくさんいただきました。

＊1　サボタージュ：生産の設備、輸送車両などの転覆や破壊活動。そこに障害や混乱をもたらし、圧制者の混乱や力を弱めることを目的とし、人間を傷つけることは目的としていない。

＊2　ポスト・トゥルース：客観的事実よりも、フェイクニュースや事実の裏付けのないニュースのほうが個々人の感情に訴えやすいと、より好んで報じられ、世論形成されていく状況。

＊3　ベルンシュタイン主義：ドイツの政治家・社会民主主義理論家のエドゥアルト・ベルンシュタインの、マルクス修正主義の考え方。

＊4　ロシアの共産主義のこと。

＊5　笠井潔、津村喬、長崎浩、戸田徹、小坂修平「マルクスを葬送する」（『第三文明』一九七九年一二月号）。なおこの座談会は、現在もインターネットで閲覧可能となっている。COMMON GROUND - 座談会「マルクスを葬送する」（1／7）(fc2.com)

（二〇二二年六月三日　Zoomにて収録。笠井氏の加筆訂正を経て掲載しました。質問者は、「杉山」とある分は言視舎・杉山尚次、その他は佐藤幹夫です）

本書で言及・参照した文献（笠井潔のもの以外は著者の五十音順）

笠井潔『新版　テロルの現象学』（作品社、２０１３）
笠井潔『黙示録的情熱と死』（作品社、１９９４）
笠井潔『国家民営化論　ラディカルな自由社会を構想する』（光文社文庫、２０００）
笠井潔『探偵小説論Ｉ　氾濫の形式』（東京創元社、１９９８）
笠井潔『探偵小説論Ⅱ　虚空の螺旋』（東京創元社、１９９８）
笠井潔『探偵小説論Ⅲ　昭和の死』（東京創元社、２００８）
笠井潔『例外社会　神的暴力と階級／文化／群衆』（朝日新聞出版、２００９）
笠井潔『8・15と3・11　戦後史の死角』（ＮＨＫ出版新書、２０１２）
笠井潔『例外状態の道化師《ジョーカー》　ポスト3・11文化論』（南雲堂、２０２０）
笠井潔「日本革命思想の転生」（『情況』１９７２年４月号〜73年7月号連載収）
笠井潔「ポストコロナ文化論　第4回　戦争と女性　逢坂冬馬『同志少女よ、敵を撃て』」（電子雑誌「ジャーロ」光文社、２０１１年５月号）

＊

ジョルジョ・アガンベン『私たちはどこにいるのか？』（高桑和己訳、青土社、２０２１）
ハンナ・アレント『革命について』（志水速雄訳、ちくま学芸文庫、１９９５）

イマニュエル・ウォーラーステイン『史的システムとしての資本主義』（川北稔訳、岩波文庫、2022）
ジョージ・オーウェル『一九八四年［新訳版］』（高橋和久訳、ハヤカワepi文庫、2009）
小熊英二『1968』（新曜社、2009）
加藤典洋『アメリカの影』（河出書房新社、1985）
加藤典洋『敗戦後論』（講談社、1997）
加藤典洋『戦後的思考』（講談社文芸文庫、2017）
加藤典洋『戦後入門』（ちくま新書、2015）
加藤典洋『9条入門「戦後再発見」双書』（創元社、2019）
飢餓陣営・佐藤幹夫編『沖縄からはじめる「新・戦後入門」』（言視舎、2016）
デヴィッド・グレーバー『民主主義の非西洋起源について「あいだ」の空間の民主主義』（片岡大右訳、以文社、2020）
デヴィッド・グレーバー『負債論 貨幣と暴力の5000年』（酒井隆史他訳、以文社、2016）
斎藤幸平『人新世の「資本論」』（集英社新書、2020）
坂口安吾『堕落論』（角川文庫、2007）
坂口安吾「続戦争と一人の女」（『白痴・青鬼の褌を洗う女』講談社文芸文庫所収、1989）
カール・シュミット『大地のノモス』（新田邦夫訳、慈学社出版、2007）
アレクサンドル・ソルジェニーツィン『収容所群島』（木村浩訳、新潮社文庫、1975）

竹田青嗣『欲望論』（講談社、２０１７）
ジル・ドゥルーズ「追伸――管理社会について」（宮林寛訳『記号と事件』河出書房所収、２００７）
西谷修『戦争論』（岩波書店、１９９２）
西谷修『夜の鼓動に触れる　戦争論講義』（東京大学出版会、１９９５）
オルダス・ハクスリー『すばらしい新世界［新訳版］』（水戸部功他訳、ハヤカワepi文庫、２０１７）
ミシェル・フーコー『知への意志』（渡辺守章訳、新潮社、１９８６）
カール・マルクス『資本論』（岡崎次郎訳、国民文庫、１９８３）
カール・マルクス「ヴェーラ・ザスーリッチへの手紙」（今村仁司訳『マルクス・コレクションⅦ』筑摩書房所収、２００７）
ヴラジーミル・レーニン『国家と革命』（角田安正訳、講談社学術文庫、２０１１）

参考年表

作成：言視舎編集部

年	国際的な出来事	日本の出来事
1989	2ソ連、アフガニスタンから撤退完了 6中国、天安門事件 11独、ベルリンの壁崩壊、チェコスロバキア、ビロード革命 12米軍、パナマ侵攻、ルーマニア、チャウシェスク政権崩壊	1・7昭和天皇死去 4消費税スタート
1990	2ソ連、一党独裁放棄 8イラク、クウェートへ侵攻 10東西ドイツ統一	3大蔵省、不動産融資の総量規制を金融機関に通達
1991	1湾岸戦争 7ワルシャワ条約機構解体 9リトアニア、ラトヴィア、エストニアのバルト3国が独立 12ロシア、ウクライナ、ベラルーシ、独立国家共同体創設協定に調印、ソ連邦消滅	地価下落、バブル経済崩壊「平成不況」
1992	4ユーゴスラヴィア連邦解体 12チェコスロヴァキア消滅	6国連平和維持活動（PKO）協力法成立
1993	8イスラエルとPLOがオスロ合意 11マーストリヒト条約発効、EU発足	8非自民連立政権誕生
1994	1メキシコ、サパティスタ武装蜂起	

	4 NATO軍、ボスニア紛争でセルビア人勢力を空爆 12 ロシア軍、チェチェン共和国に侵攻	6 自・社・さ連立政権、松本サリン事件
1995	1 世界貿易機関WTO発足	1 阪神大震災 3 地下鉄サリン事件
1996 1997	9 北朝鮮潜水艦が韓国に潜入 7 香港、中国に返還 アジア通貨危機	1 自民党、政権復帰 9 日米政府、「日米防衛協力のための指針」（新ガイドライン）で合意 11 三洋証券倒産、北海道拓殖銀行破たん、山一證券自主廃業
1998	8 北朝鮮、テポドン発射実験	日本経済の「失われた10年」
1999	1 単一通貨ユーロ誕生 3 NATO軍、ユーゴスラヴィア空爆	5 周辺事態法、8 国旗・国歌法、通信傍受法（盗聴法）成立
2000	5 ウサマ・ビンラディン容疑者を米軍がパキスタンで殺害 6 韓国・北朝鮮、初の首脳会議	7 九州沖縄G8サミット
2001	9・11 米で同時多発テロ 10 米、アフガニスタン空爆	1 中央省庁再編 5 小泉首相登場し「構造改革なくして景気回復なし」
2002	1 EU、ユーロ導入 3 ユーゴ、コソボ暫定自治政府発足 5 東ティモール民主共和国誕生	9 小泉首相、北朝鮮訪問、金正日総書記と会見、拉致被害者5人が帰国
2003	3 イラク戦争始まる 5 米ブッシュ大統領、イラク戦争終結宣言	5 個人情報保護法成立 6 武力攻撃事態法など有事関連3法成立
2004	3 NATO旧社会主義国が加盟、26カ国体制に 5 チェチェン共和国、カディロフ大統領暗殺	2 自衛隊、イラク人道復興支援のためサマワ入り 10 新潟県中越地震

年	国際的な出来事	日本の出来事
	11ウクライナ大統領選挙で不正が発覚、抗議運動が起こる 12ウクライナ、再投票の結果、親欧米派のユーシェンコが大統領に（オレンジ革命）	
2005	中国各地で激しい反日暴動	10郵政民営化関連法、成立
2006	10北朝鮮、地下核実験 12イラクでフセイン死刑執行	5景気拡大局面、いざなぎ景気を超え戦後最長に 9第一次安倍内閣
2007	米、サブプライムローン問題発生	「格差社会」論議、「消えた年金」問題
2008	9リーマン・ブラザーズ破産（リーマンショック）、世界同時不況へ	10株価、バブル崩壊後最安値を更新 12日比谷に「年越し派遣村」～09・1
2009	5北朝鮮、地下核実験	8・30衆議院選挙で民主党が第1党に、政権交代
2010	2ウクライナ、親ロシア派のヤヌーコヴィチが大統領に就任	5日米共同発表、辺野古移設合意 9尖閣諸島中国漁船衝突事件
2011	1チュニジア、ジャスミン革命 2エジプトムバラク政権崩壊、アラブの春へ シリア内戦始まる 5米軍、ウサーマ・ビン・ラーディンを殺害 10リビアでカダフィ大佐処刑 12米軍、イラクより完全撤退	3東日本大震災、東京電力福島第1原子力発電所事故
2012	3ロシア、大統領にプーチン 4北朝鮮、金正恩が労働党第1書記 11米、オバマ大統領再選	12衆議院選挙で自民党、政権復帰

	11中国、習近平が共産党総書記に	
2013	3中国、習近平が国家主席に 11中国政府、尖閣諸島を含む上空を防空識別圏に設定	9　2020年夏季オリンピックの開催都市が日本の東京に決定 12特定秘密保護法、成立
2014	2ウクライナ、前年からの反政府デモにより、親ロ派ヤヌコーヴィチ大統領、ロシアに亡命。親欧米派の暫定政府発足（マイダン革命） 3ロシアのプーチン大統領がクリミア自治共和国の編入を表明 6ウクライナ、親欧米派ポロシェンコ元外相が大統領就任 9ウクライナ東部での紛争停戦を、ウクライナ、ロシアが合意（ミンスク合意）	4武器輸出三原則を見直し、「防衛装備移転三原則」を閣議決定
2015	1パリの政治週刊紙「シャルリー・エブド」本社、イスラム過激派の男2人により襲撃される「シャルリー・エブド襲撃事件」 11パリで同時多発テロ事件	9安全保障関連法、成立
2016	4ミャンマー、アウンサン・スーチーが「国家顧問」に就任 6英、国民投票でEU離脱を選択 11米大統領選で、トランプ勝利	4熊本地震 5米オバマ大統領、広島訪問
2017	7核兵器禁止条約、国連本部で採択、核保有国、日本は投票せず	6「共謀罪」成立 「森友」「加計」問題2016〜2018頃
2018	6史上初の米朝首脳会談（トランプ・金正恩）	7オウム真理教・松本智津夫ら13人の死刑執行

年	国際的な出来事	日本の出来事
2019	5ウクライナ、ゼレンスキーが大統領に就任	5新天皇即位、「令和」に改元
2020	1英、正式にEU離脱 2新型コロナウイルス、世界各地に広がる 5米、黒人暴行死、デモ全米に広がる 6国、香港国家安全法案を可決 12米大統領選、バイデン勝利確定	3コロナ禍で五輪・パラリンピック1年延期 コロナ禍続く 8安倍首相辞任表明、9菅内閣発足
2021	1米、トランプ支持者が米議会乱入 2ミャンマー、国軍がクーデター、全権掌握 7ロシアのプーチン大統領、ロシアとウクライナの一体性に関し論文公表 8米、アフガン戦争終結 10ロシア、ウクライナ国境付近に軍を終結	10菅内閣総辞職、岸田内閣発足
2022	2ロシア、「ドネツク人民共和国」「ルガンスク人民共和国」を国家として承認 2ロシア、ウクライナ侵攻開始。チェルノブイリ原発制圧 2国連安保理、ロシア非難決議否決。ロシアが拒否権行使 2ロシアのプーチン大統領、核戦力を特別体制に移すよう指示 3国連総会緊急特別会合でロシア非難決議141カ国の賛成で採択（反対5、棄権35）	7安倍元首相、銃撃され死亡

	5フィンランドとスウェーデンが北大西洋条約機構（NATO）加盟申請 5先進7カ国（G7）がロシアを「世界経済から孤立させる」との声明採択。ロシア国防相がマリウポリの完全制圧発表 5米日印豪（クワッド）4国首脳会議

参考
『昭和・平成史年表』（2019年7月、平凡社）
『沖縄からはじめる「新・戦後史」入門』（2016年7月、言視舎）
『世界　臨時増刊ウクライナ侵略戦争』（2022年4月、岩波書店）
東京新聞

著者……笠井潔（かさい・きよし）
1948年東京生まれ。79年『バイバイ、エンジェル』でデビュー。98年編著『本格ミステリの現在』（国書刊行会）で第51回日本推理作家協会賞評論その他の部門を受賞。2003年『オイディプス症候群』（光文社）と『探偵小説論序説』（光文社）で第3回本格ミステリ大賞小説部門と評論・研究部門を受賞。主な著作『テロルの現象学　観念批判論序説』（作品社）『例外社会　神的暴力と階級／文化／群集』（朝日新聞出版）『哲学者の密室』（創元推理文庫）『例外状態の道化師ジョーカー　ポスト3・11文化論』（南雲堂）他多数。

聞き手……佐藤幹夫（さとう・みきお）
1953年、秋田県生まれ。2001年よりフリーランスとして、執筆や、雑誌・書籍の編集発行に携わる。1987年より批評誌『飢餓陣営』を発行し、現在55号。主な著書に『自閉症裁判』（朝日文庫）、『知的障害と裁き』（岩波書店）、『ルポ　闘う情状弁護へ』（論創社）、『ルポ　認知症ケア最前線』（岩波新書）、『認知症「700万人の時代」の現場を歩く』（言視舎）、『評伝島成郎』（筑摩書房）他多数。近刊に、村瀬学との共著『コロナ、優生、貧困格差、そして温暖化現象——「世界史的課題」に挑むための、私たちの小さな試み』（論創社）がある。

装丁…………佐々木正見　DTP組版…………勝澤節子
協力…………田中はるか
※本書は「飢餓陣営」52号（2020年12月）、55号（2022年8月）に掲載されたインタビューに加筆、再構成したものです。

新・戦争論「世界内戦」の時代

発行日❖2022年9月30日　初版第1刷

著者
笠井潔

発行者
杉山尚次

発行所
株式会社言視舎
東京都千代田区富士見2-2-2 〒102-0071
電話 03-3234-5997　FAX 03-3234-5957
https://www.s-pn.jp/

印刷・製本
中央精版印刷㈱

ISBN978-4-86565-233-8 C0036